张　鸣 ◎ 著

九州出版社
JIUZHOUPRESS

# 暗逻辑

张鸣 说 历史背后 的 细节

**图书在版编目（CIP）数据**

暗逻辑 / 张鸣著 . -- 北京：九州出版社 , 2017.10

ISBN 978-7-5108-6150-5

Ⅰ . ①暗… Ⅱ . ①张… Ⅲ . ①随笔—作品集—中国—当代 Ⅳ . ① I267.1

中国版本图书馆 CIP 数据核字（2017）第 250098 号

**暗逻辑**

| | |
|---|---|
| 作　者 | 张 鸣 著 |
| 出版发行 | 九州出版社 |
| 地　址 | 北京市西城区阜外大街甲35号（100037） |
| 发行电话 | （010）68992190 / 3 / 5 / 6 |
| 网　址 | www.jiuzhoupress.com |
| 电子信箱 | jiuzhou@jiuzhoupress.com |
| 印　刷 | 三河市华润印刷有限公司 |
| 开　本 | 710毫米×1000毫米　16开 |
| 印　张 | 19 |
| 字　数 | 300千字 |
| 版　次 | 2018年2月第1版 |
| 印　次 | 2018年2月第1次印刷 |
| 书　号 | ISBN 978-7-5108-6150-5 |
| 定　价 | 42.00元 |

contents **目　录**

第一章｜**细节里面瞧瞧晚清**

## 第二章 │ 大大小小那些人物

# 第三章 | 林林总总都是套路

## 第四章 | 点点滴滴藏着历史

目录

contents

附 录 | 泡在历史里的我

# 第一章
# 细节里面瞧瞧晚清

## 善扑营的故事

蒙古人作为游牧人，没有中原的武林，也不玩我们的武术，但是他们喜欢摔跤。摔跤是作为日常的游戏还是军事训练，实际上说不清，很可能作为前者的份额大一些，但于战场上的肉搏，也会有些间接的益处。满族人崛起，跟蒙古人结盟，蒙古人的地位，跟满族人相若。尤其是科尔沁草原上诸部落，跟满族人的关系密切得像一家人一样，因此，满族人也喜欢上了摔跤。为此，八旗特设善扑营，专门训练摔跤高手。后来，善扑营取开放姿态，不仅满族人蒙古人，汉族人和回民中的高手，也可以通过考试进来。

跟蒙古人一样，摔跤也是八旗子弟日常游戏的一部分，而且是得到皇帝鼓励的部分，因为可以保持民族的勇武之风。所以，上至王公贵胄，下至贫寒八旗子弟，一度都好这一口儿。当年康熙擒鳌拜，就是蓄养了一帮摔跤少年，当庭将之拿下的。而鳌拜自己也是一个摔跤高手，只是好虎架不住群狼，才失手的。据说，咸丰的宠臣肃顺，也是摔跤里手，有"满洲庆忌"之称，平时跟人角力，赢多输少。后来辛酉政变，西太后与恭亲王奕䜣联手，京城八旗，都在奕䜣手里，其中也包括善扑营。抓肃顺的时候，是醇亲王奕譞领队的，因为肃顺的缘故，特意带了几个善扑营的高手。

善扑营的人，是要经过考试入选定级的，入选者，被称为"布库"（满语），俗称扑户。扑户分为三级，头等最高，三等最低，不同等级的人，薪饷不同。善扑营安在北京沙滩大佛寺，每月初一、十五，定期举行比赛。善扑营的扑户们要参加，而营外的人，如果想吃这碗饭，也可以到大佛寺官厅报名，参加比赛，赢了的话，就可以入选，进入善扑营吃官粮。

这样的比赛，由善扑营指定的资深扑户担任裁判。由于比赛在大佛寺举行，人们习惯称裁判为"庙头"。庙头可以决定参赛者的"份儿"，即重量级别，体重大的和体重大的比，体重轻的和体重轻的比。"份儿"无须称重，庙头瞄一眼就行。选手也可以自己选择，体重轻的，也可以挑战体重沉的。庙头还可以决定谁和谁配对，谁下场比赛。以先倒地者为输，倒地之后，不能继续纠缠。

每次比赛，赛场中间都会铺好黄土。参赛者赤膊围在四周。宫里都会派个太监来，高高地坐在太师椅上，另由小太监用竹竿挑一串铜钱，作为赏钱。比赛完了，由太监宣布获胜者名单，发下赏钱。领赏者向太监磕头请安道谢，怀揣着赏钱倒退着离场。因为太监是代表皇帝来的，赏钱虽然不多，但领到的人，还是挺欢喜的。

晚清时节，善扑营已经衰落，满族人不行了，善扑营里尽是回民和汉人称雄。有位回民青年，每次上场，都身着白绸裤子。当时场上铺着黄土，赛手们一般都会穿黑色或藏青色的裤子，但这位就穿白色的，意思是说，我根本不会沾土的。事实上，他也真的不沾土，轻松打败所有对手。比赛期间，总有些小贩卖糖果小吃，这位吃食，从来不付钱，小贩也不找他要，因为比赛完了，那串铜钱肯定是他的，用这个付账就够了。

此时的满族人，日常游戏已经早就不是摔跤了，而是斗蟋蟀，架鸟笼子比试谁家的鸟叫得好。一个当年勇武的民族，不知不觉，就变得越来越文弱了。再往后，大佛寺的比赛也取消了，北京城里，兴起了私人跤场，基本都是汉人少年自己在玩了。

# 大清国首都的一种特别的生意

大清户部相当于现在的财政部加中央银行，那时候不流行钞票，存入户部银库的，都是各地运来的银元宝。搬运元宝的，有专门的库兵。库兵基于可靠性的考虑，只能从八旗里挑人，每个库兵，跟一般的八旗兵丁一样，吃粮拿饷，却是一种八旗中人羡慕的"专业人士"，能补上库兵，可是不容易，不仅吃香的喝辣的，而且可以养几房妻妾。个中的缘故，是库兵可以在搬运的时候，偷出银子来。

当年的库兵，在搬运银两的时候，是要脱得光光的，进门时，还要张嘴检查，过门槛，拍双手，唯一能夹带的地方，就是肛门谷道。为了能在肛门里夹带元宝，得从小就进行练习，所以，当年库兵是有专门的买卖人养着的。这样的买卖，叫作旗倌。旗倌雇有专门的师傅，教未来的库兵如何从谷道塞入东西，经过反复练习，越塞越多，然后教他们如何运气，保证夹带的元宝不至于掉落。当然，这样的旗倌，也跟户部银库的管库郎中有特别的关系，库兵的甄选，由管库郎中决定，但百分之百都从旗倌里找人。只是，库兵不能干长，一到中年，肌肉开始无力，旗倌就开始撵人了，撵走旧人，换一茬新人。

大清户部银库里的银子很多，库兵每次从里面偷点儿出来，旗倌、库兵就够肥的了。偷出的银两，库兵和旗倌分账，旗倌拿大头。因为，旗倌不仅要负责练成可以用肛门谷道夹带元宝的功夫，而且要负责接送库兵上下班，负责保护他们。因为，针对库兵，大清的首都，产生了跟旗倌相对应的行业——劫库兵的。劫库兵的也有组织，属于京里的黑社会，但是，他们干这行，从来没有官府管过。自己感觉，这也不属于作奸犯科。

按说，库兵也是八旗兵，但他们除了肛门的本事，基本上是手无缚鸡之力。每次上下班，两人一辆骡车，坐在里面，就跟上了轿的大姑娘似的，用帘子遮得严严实实的。一个赶车的，一个打手，手里都有家伙。除此而外，跟寻常的骡车，没有什么两样，一点儿都不敢招摇。而且，行踪诡秘，飘忽不定。出发之前，还有专门雇的探子，四下张望，见没有危险，才会启程。

但是，不怕贼偷，就怕贼惦记。既然有专门针对他们的行业，自然人家能找出来你的蛛丝马迹。抢人的，都是混混。跟他们在天津的同类，大体上是一样的。只要逮住了库兵的车，两下先礼后兵，用道上的黑话互相答话，如果能谈妥，旗倌出点儿血，两边客气地走人，谈不妥，则就要动家伙了。

一般来说，两下无论怎么厮杀，都不会出人命，因为出来人命九门提督的人要过问，事儿闹大了，对谁都不好。但是，总会有个输赢。如果旗倌这边的人输了，库兵被劫走，如果刚下班，则银子就归了混混。如果上班时被劫，则旗倌马上得拿一笔银子把人给赎出来，不敢耽误了上班。反正不管怎么说，混混这边都有收入，这个行业就指着这个活。劫走的库兵，混混这边，也像祖宗一样供着，绝不会令其有半点儿损伤。说白了，库兵也是他们的衣食父母。

反过来，如果混混输了，被抓的人就会被打得皮开肉绽，骨断筋折。如果被打的时候，咬牙顶住，倔强不屈，最后旗倌请来红伤医生，把伤给治好，送回去，从此以后，这个混混就成了爷，有人养了。如果抗不住求饶了，那么人家也不给你治，扔回去，混混那边也不待见，这人就废了。

这样一个奇怪的行业，一直维持下来。旗倌和劫库兵的混混，其实就是一个伴生行业，都挺畸形，却都活得好好的。八旗和户部以及负责京师治安的九门提督，都心知肚明，都知道这是因为库兵偷银子衍生出来的，但是谁也不管。其实只要等库兵干完活，检查一下他们的肛门，这个行业就消失了。然而，这就是大清官场，做蛀虫，是一种行业，吃蛀虫，也是一种行业，都属于寄生官场上的行业。无论怎样奇葩，人们都见怪不怪。

## 晚清的"国有资产流失"问题

晚清时节，在太平天国被灭了之后，曾左李带头，各地都先后掀起了兴办洋务的高潮，或多或少，都办起来一点儿洋务事业，花大钱，进口了西洋的机器，办起了工厂。最多的是机器局，用来造枪炮；其次，则是纺织局、矿务局等。

办这些事业的督抚们，手笔都很大，花钱买机器，不问价儿，不砍价儿。只要能弄到一笔钱，想都不想，事儿就办了。然而，厂房盖起来，机器竖起来，洋匠也请进来，工人也招募了，事业却按照衙门的方式进行，不问效率，不讲收益，只管排场。一个厂子的总办会办，不是道台衔，就是知府衔，出门上街，一大堆衙役鸣锣开道，八抬大轿。然后在厂子里安插一堆自家的亲友以及各个衙门递条子进来的闲人，办事无能，坏事有余。过不了多长时间，洋务事业就赔下去了，督抚们再也挤不出钱来维持这个事业了，只好关门，或者变相关门。

这样的洋务企业，在当年都是不言而喻的国企。凡是这样的国企，除非主办的人有大魄力，大手段，大后台，把它们包给商人，否则，不是一天天半死不活地赔下去，就是任由里面的东西被偷光，机器生锈、烂掉。著名的汉阳铁厂，如果不是张之洞最后把事业交给了盛宣怀，盛宣怀把厂子交给著名粤商郑观应来打理，这个远东最大的钢铁企业，最终连一块铁也生产不出来，更别提给卢汉铁路提供铁轨了。

一般来说，这样的企业，卖掉是肯定不行的。当年没有"国有资产流失"这个概念，但是，相关的内涵却早就有了。一个倒掉的洋务企业，任由机器烂掉没事儿，没有人说国有资产流失；一个濒临倒闭的洋务企业，明明可以挣钱，就是因为经营不善，天天赔钱，也没有人说是国有资产流失。但是，你只要把它卖掉，那么，御史们的弹章，就会把你埋了，满朝文武都会骂你。逻辑就是这样的，一个国企，多维持一天，就会多赔一天的钱，每天血盆大口，大把地吞钱，这样巨大的浪费消耗不算流失，烂掉造光，一文不剩，也不算流失，卖掉了，弄回来钱了，反倒是流失。因为，无论怎样，人们都会说你卖贱了。

其实，明白人都知道，在大清，没有一项公家的事业是能办得好的。连紫禁城和圆明园这种皇帝待的地方，只要皇帝不去的所在，不仅堆满了垃圾，甚至还有太监们偷偷拉的粪便。但是，公家的事业，或者说国有的事业，一定是神圣的。皇家库房里的东西，经管的人，可以把它们偷光，或者因管理不善而烂光，但是把库房事业交给商人办，肯定是大逆不道的。

这个，就是大清的国情。


# 老佛爷，汽车来了！


今天的中国，基本上已经是汽车王国了，连不少地方的山村里，都有了汽车。不会开车的农村大妈，居然有被经销商忽悠得买汽车的，买来汽车不会开，放在院子里生锈，人家乐意。至于稍微大一点儿的城市，都是"堵城"，大小汽车挤在一起，动弹不得。而大城市则成了"万国汽车博物馆"，什么国家生产的、什么牌子的汽车，在中国都能找到。那情形，有点儿像民国的北洋时代——任何国家生产的步枪都能找到。

然而，汽车来到中国，多少还是费了点儿周折。世界上第一辆汽车，是1886年诞生的。但是，汽车真的来到中国，是20多年之后的事儿了。我们知道，火车进中国，就大费周章，老外经过了反复的折腾，建了铁路，被拆了，然后再建，第一条能运行的铁路，居然只能建在天津的租界里。最后是美国人想出了办法，弄了一套火车模型，送给西太后，让老太婆玩爽了，这种"火马车"和"铁马路"才落了地。

然而，汽车自打被发明之后，一直都跟中国无缘。严格地说，是跟中国大多数地方，包括北京无缘。而上海的租界，很早就引进了汽车，作为旅游项目，让来外滩的华人过把瘾。1903年，朝廷开始新政了，各种新玩意儿，相继落户中国。但是，保守的北京，依然拒不接受汽车。东交民巷的外国使馆人员若要出门，除了便利而便宜的人力车，就是马车——西方的四轮马车，这在乾隆时代也是被束之高阁的，但现在可以在北京新修的马路上奔跑了。

转变的契机，发生在1907年，意大利的使馆这年年初新来了一位代理公使，此人是个王子，利维奥·博尔济斯王子。更主要的是，他是个玩家，登山、探险无所不涉，还是一个狂热的汽车爱好者。在意大利的时候，就有一辆当时堪称大马力的依塔拉汽车（40马力）。来到北京之后，他发现这个古老的城市，闷得要死，一点儿都不好玩。他的夫人，到达北京第一天，就闹着要离开。

正在这个时候，法国《晨报》发起了一场从北京开往巴黎的汽车拉力赛，号召当年世界顶尖的汽车驾驶高手参加。这样的事儿，大概只有法国人能干得出来。当年中国没有一寸公路，而必须穿越的蒙古和俄国，也没有公路，只有一条西伯利亚大铁路，刚刚通车。当然，这事的背后，估计有汽车厂家在推。他们是想借此打开中国的市场。

显然，对于汽车爱好者来说，这些都不是问题。所以，号召一经发出，就真的有人响应。博尔济斯王子和三位意大利人，开一辆汽车组成了意大利队，还有四位法国人，分别开了四辆汽车组成了四支法国车队（也有资料显示是三支法国车队和一支荷兰车队）。五辆汽车，经海运被送到了北京。

这一下，沉闷的北京沸腾了。尽管我们说北京没有上海那么新锐，但是，北京人的好奇心，一点儿都不比上海人差。被老外的突发奇想弄晕了的清政府外务部，一时间不知道怎么应对这个疯狂的事儿，迟迟不肯颁发此项比赛的必要证件。而且规定，运来的汽车，不经骡马牵引，不许上街。然而，有了汽车的老外，哪里会管这一套，开着汽车就上了马路。新政时期北京新修的马路，给了这五辆汽车用武之地，汽车成天在马路上开，引得北京人那几日什么都不干了，乌泱乌泱地围观。对于汽车这种新鲜玩意儿，中国老百姓的好奇心压倒一切，死也要过把瘾。而政府的大人物们，却被吓到了，不知道该怎么办好。终于，在外国使节的启发下，他们明白了，要想让这些在街上飞驰的"怪物"离开，唯一的办法，就是让拉力赛早点儿开赛。于是，证件很快就齐了，在特意派来的军乐队的乐声中，在沿途商家震耳欲聋的鞭炮声中，五辆汽车，穿越北京城，直奔蒙古高原。一路上，好多地段，其实不是开的，而是由苦力抬过去的。在进入俄国境内之后，他们一直在西伯利亚铁路上开。途中，有的车报废了。最终，博尔济斯王子第一个到达了巴黎。公使馆的事儿，在这期间，基本都搁下了。

经此一事，拉力赛背后的推手——奔驰汽车公司，送给了西太后一辆奔驰轿车。只是，由于解决不了司机坐在前面，背对着老佛爷开车的失礼问题，老佛爷一直都没有坐过。汽车就一直放在颐和园，估计现在还在那里。北京的其他达官贵人，却开始坐汽车了，老佛爷也没说不让。

# 怎样评价慈禧这个人

怎样评价慈禧太后这个人？是我在教学中经常被问到的问题。其实，按中国传统史学的讲究，称谓本身就说明问题。一般来说，称晚清当政的叶赫那拉氏为慈禧太后，就包含了肯定意味，因此"慈禧"是两个好字眼儿，而且是经她认可的尊号。而称她为西太后，就多少有点儿贬义，因为按满族人的习惯，东为上，西为下。东太后钮祜禄氏，在被尊为太后之前，已经是皇后，地位实际上还要高一些。那个时候，有人还带有蔑义地称慈禧为"西边的"。

不过，史家最好的立场是价值中立。最好的称呼，应该是直呼其名，但人们已经习惯了称其为"慈禧"，我在这里就叫"慈禧"吧，而太后，是她的身份，她是清朝的太后，又不是我们的太后，所以，太后在这里就暂时免了。

古代的女性，地位不高，但有的汉族人士大夫之家，女孩子还是会受一点儿教育，至少会教她们识字，能读一点儿书。个别才情高的，也可以吟诗作赋。但是，满族人对于学来的汉族人礼教，贯彻得特别刻板，所以，满族的女性，即使是阀阅之家，也不让她们识字。所以，慈禧在被选秀女入宫之前，基本上就是文盲。识字，是得宠之后才慢慢习得的。尽管如此，垂帘之后，亲笔的朱批，还满是错别字。

慈禧所受的教育，基本上属于小传统系列的。最明显的，是戏曲。由于传统宫里演出的昆曲她基本上看不懂，所以才引进当年属于花部的，由徽调和汉剧融合而成的高腔，即今日所说的京剧进宫。结果一个副产品就是，因为得到了慈禧的高度关注，京剧的形成和发展得以蓬勃。所谓"同光十三绝"，都是在她的培养下，光耀一世的。当然，做了太后之后，她和东太后也请翰林们给她们讲过一点儿历史课，但是效果如何，是很难讲的。

一个人的教育，在很大程度上决定其后来的眼界和见识。没有受过正经八本的传统教育，固然使得她在秉政的时候，没有她的夫君咸丰皇帝那么多教条和框框。跟洋人打交道时，身段放得比较低。而且，也会有一些只有戏迷才有的道德品质，比如恩怨分明，有恩报恩，有仇报仇。其实，作为君主，是无须报谁的恩的。但是她很在乎。对于在她看来拯救了大清的中兴名臣，她一直都很客气，从来不会严厉地处分。对于庚子逃难途中及时赶来勤王的岑春煊，即使后来袁世凯陷害他，说他有反心，慈禧也会放他一马。这种戏剧性格，会让慈禧看起来，比别的清朝统治者更有人情味一些。

但是，作为一个国家实际上的领导人，她的格局还是不够大。任人唯亲，是她始终摆脱不了的死结。终其一生，她真正信任的人，从醇亲王奕譞，到庆亲王奕劻，以及短时间的端郡王载漪，还有荣禄，基本上都跟她娘家方家园有点儿关系。

在晚清的大变局中，没能认清世界大势，把握好转型的大局，这也许是苛责她了，在那个时候，也许换一个人也未必能做得更好。但是，在甲午之后，亡国危机迫在眉睫的情形下，居然为了个人的权势，发动政变，废掉变法，进而掉进光绪忘恩不孝的感情漩涡里不能自拔，为了能顺利废掉光绪，不惜冒崩盘的危险，贸然支持义和团，跟西方决裂。浑到这个地步，几乎丧失了大清统治的最后机会和合法性。后来即使倾全力投入改革，回旋的余地也已经很小了。她死之后，选择的接班人居然还是在方家园周围打转，选了一个少不更事的第二代醇亲王载沣。清朝辛亥年的溃败，在很大程度上，是她一手造成的。

总的来说，慈禧是个聪明人，但是，却是一个不识大局、不辨大势的聪明人。机缘凑巧，成为转型时期的清朝当家人，实在是不合格。

# 大国与小招儿

大清的官儿，外国人称为"满大人"。鸦片战争之前，英国马戛尔尼使团来华，带了一大堆礼物送给乾隆爷，想要跟中国建立全面通商关系。其中有一种礼物，是英国最新式的速射炮。为了显示其威力，马戛尔尼还让随从施放演示，可是，陪同的"满大人"，爱搭不理的，一副不稀罕的样子。其实，清朝满朝上下，没有人见过这种炮，即使出于好奇，也该观赏一下。但是，如果真的表现出好奇来，就有可能丢了中央之国的面子。为这个，就是硬憋，也得装着不稀罕。然后这些速射炮，就被装进箱子，放在了圆明园的仓库里，再也没有见过天日，后来先后两次跟英国人交手，都没有人想起把这些炮拿出来派用场——当然拿出来也没有用，因为没有人会用。尽管如此，大清的面子，还是被顾全了。

鸦片战争，"满大人"被打败了，不得已，跟人签了条约，不仅五口通商，而且传教士也可以进来传教。条约白纸黑字，不遵守不行。但是，为了大清的面子，洋人能不能进来，还真不好说，因为"满大人"有小招儿。招数之一，是暗示地方官，不允许大清臣民卖给洋人土地和房子。所以，五口之中，只有上海因为是个小县城，没有得到最上峰的暗示，结果洋人得以租了黄浦江和苏州河一带芦苇丛生的荒地，其他城市，洋人十年都进不来，在福州的英国领事，只能在城外草棚子里安身。

这些小招儿，在第二次鸦片战争之后，就都不灵了，因为洋人的枪炮太厉害，都给打破了。不过放心，"满大人"还有后手。跟英法签订北京条约的时候，后手就已经出来了。签约的地点，放在了礼部大厅。洋人粗心，想不出这个地点有什么名堂。但是"满大人"心里明镜似的：礼部是管各个藩属国事务的地方，把签约地点放这儿，明摆着暗示英法不管怎么牛，在我们眼里，还是被视为藩属——不能明说，用小动作羞臊你们一下。

接下来，外国公使可以进京，要见皇帝递交国书。负责安排此事的总理衙门，让所有觐见的外国公使，都走旁门，而且进宫之后，一定引导他们走旁边的偏道，觐见之前，还得在一个破烂的偏殿候着，旁边就是太监们用皇帝吃剩下的饽饽点心（量很大的）

做酱的酱缸，风一刮，味道比茅坑还大。当年藩属国的使臣见皇帝，都没这么个待遇。反正就是这么个意思，你们老外再牛，经过我们这种礼仪上的小招儿的安排，让我们的人看了，自然矮了不止三分。这里头的名堂，只有1897年进京的德国公使看出来了点儿，似乎不肯就范，就是要走正中的道路，我们的引导官想拉他们，人家还提出抗议。结果累及李鸿章，一个劲儿赔礼道歉，才算拉倒。

尽管如此，在"满大人"眼里，小招儿对于自己的面子，还是管用的。不管我们在正式的交涉中吃了多少亏，赔了多少钱，但是只要我们的小招儿看起来让对方中招了，我们就得便宜了，面子上好看。

## 义和团有多大能耐？

义和团有多大能耐？按他们自己的说法，一是神灵附体之后，可以刀枪不入；二是能靠念咒烧毁洋人的教堂，只要念了咒，用手一指教堂，说声：着！火就起来了；三是可以念咒闭住洋人的大炮，让大炮自己炸膛；四是某些道行特别高的人，比如"黄莲圣母"，可以元神出窍，溜到洋人的阵地，把洋人大炮上的零件和螺丝拧下来。

但在现实中，他们的能耐，也就是用刀砍人。砍得最多的，是信基督教的教民，包括手无寸铁的妇孺，其次是洋人传教士，再就是那些用洋货，进洋学堂，替洋人打工的人。然后，对于他们认为是白莲教的邪教徒，也杀无赦。最后能杀的，就是一些在朝廷的顽固派看来，不同意他们观念的"汉奸"。目标就是所谓的"一龙、二虎、三百羊"。其中，"一龙"就是指光绪皇帝，"二虎"就是李鸿章和奕劻，"三百羊"就多了，指众多办理洋务的朝臣。最后"一龙""二虎"都没杀掉，只杀了几个不顺眼的大臣，其中一位立山，还不是洋务官员，仅仅是由于跟顽固派有利益之争，也丢了性命。

除此以外，义和团的刀就钝了。什么抗击八国联军，包括此前杂凑起来的西摩尔联军，基本上都是清军的功劳，后来被历史学家们抓来按在义和团头上。正式开战，围攻使馆区倒也罢了，主力是董福祥的甘军，义和团只是辅助力量。而围攻西什库教堂，里面的守卫者不仅没有连发武器，连快枪都没有多少，十万义和团围攻了将近两个月，居然没有打下来。不仅他们的"法术"失灵，没办法刀枪不入，他们的勇敢也成问题，前面的人只要一倒下，后面的就星散了。不仅北京如此，其他地方，只要教堂敢于抵抗，义和团一般都打不进去。他们最大的能耐，就是对那些手无寸铁的妇孺逞威风。袁世凯在义和团闹得最凶的时刻担任了山东巡抚，只带了不到一万人的队伍去上任。山东是义和团的故乡，遍地都是拳民。袁世凯上任之后，用了一个月，就把义和团给清干净了，而且带着山东，加入"东南互保"，不听朝廷的号令。义和团所谓的反抗，就是在巡抚衙门的墙上画了一个写着袁世凯名字的王八。

其实，义和团能闹起来，关键是一些朝廷的顽固派大臣对他们青眼有加。正好赶上朝中发生大变故，西太后与光绪闹矛盾，废了"戊戌变法"，发动了政变，重新训政。废了向西方学习的变法改革，政治只能向后转。朝野上下，保守气息陡然大增，都没有人敢见外国人了，原来好好的洋务事业，都成了罪过。在这种情况下，由于在废光绪问题上，西太后跟西方列强发生了严重的冲突，而顽固派正好乘虚而入，建议利用义和团，说是民气可用。而民气可用，不仅仅是因为民间对西方有反感情绪，而是民间有超人的"法术"，可以不怕洋人的枪炮。最终，犹犹豫豫的西太后，被连哄带骗，上了危船。义和团闹大了，杀了太多的西方传教士，甚至危及西方使馆，于是，才惹来了西方的"十一国联军"。

在围攻使馆期间，顽固派的首领端郡王载漪，居然背着西太后下令调来新建陆军的重炮（从德国进口的克虏伯大炮），幸亏炮队还有理智，炮口抬高一寸，炮弹飞过使馆区。如果真的把使馆区轰平，将十一国的使节都打死，那么，后来中国的境遇如何，就真不好说了。顽固派为了自己那点儿小算盘，不惜拿国家民族的命运做赌注，这样的载漪，后来居然被一些人追捧，真是不可思议。

义和团本是北方落后地区的农民，在晚清国力日下的时刻，生计艰难，很自然地把自己的困境归咎于信仰基督教的教民以及洋人。参加义和团的，连正经的绅士都很少，他们的"扶清灭洋"，在很大程度上是官方诱导出来的。在今天看来，义和团的能耐，其实就略等于他们的口气，他们的牛皮，没有老佛爷，屁都不顶。

## 毓贤之死

毓贤是个酷吏。山东曹州多匪，毓贤做了曹州知府，每天衙门口上一排站笼，都是满满的，站死了一批，再换一批。做了山东巡抚之后，不知怎么的，这个狠劲儿没了。临到上个世纪之交，山东起了义和团，专门跟洋人洋教为难，杀洋灭教。按理说，也属于官府该管的事儿，但是，毓贤却犹犹豫豫的，还上书说，民气可用，可以借助这股子民气，对抗洋人。

正赶上西太后发动戊戌政变，朝廷政策向后转，洋人一肚皮不高兴，而西太后正不知道该怎么应付呢，毓贤等人的建议，老太婆有点儿听进去了。虽说在洋人的抗议下，毓贤被从山东调走，去了山西，但是，义和团逐渐成了气候，却跟毓贤的建议有点儿关系。

当义和团闹大，而八国联军赶来救他们的使馆人员时，毓贤在山西巡抚任上，表现得相当积极，所作所为，跟此时的山东巡抚袁世凯正好相反——袁世凯是把所有的洋人和洋人传教士都保护起来，尽量把境内的义和团往外轰，而毓贤自己恨不得亲自当山西义和团的大首领，把境内46个洋人传教士连同家属，都给抓起来，押到太原，一个不剩给杀了。整个山西境内，洋人传教士和修士修女，一共有190多人被杀，至于被杀的中国教民，就不知道有多少了。

由于山西的案子，是义和团运动期间由官府亲自参与的最大一起针对洋人的屠杀案，所以，战后谈判，联军方面提出的第一批要惩办的罪魁，毓贤就名列其中。其他的人，还有端郡王载漪、辅国公载澜，这两位是义和团名义上的大首领和二首领，还有军机大臣刚毅、赵舒翘、甘军统领董福祥等等。刚毅此时已死，剩下的，都得追究。朝廷最初给的处分，都是发配新疆，永不叙用。所以，毓贤一大家子人，都被押着往西走。走到兰州，才知道人家洋人觉得这样处分太轻，不干了。经过李鸿章和庆亲王奕劻再三求情，载漪和载澜以及董福祥的死罪算是免了，而毓贤，无论如何都得死。

当时，驻兰州的甘陕总督尚未到任，藩台李某人，刚由山西臬司调任，当初杀洋人他也有份，见到毓贤都得死，自己也好不了，吓得先自尽了。所以，甘肃只剩下了一个臬司何福堃看着三个大印，代管一省事务。从西太后那里来的圣旨，是要将毓贤就地正法，所以，这事儿只能由何某人亲自来管。

其实，如果朝廷真的不想让毓贤死，按照中国人办事的一贯做法，可以找个模样像毓贤的人顶替，糊弄一下洋鬼子。可是，已经被打怕了的西太后，已经舰着脸求下了载漪这些自家人的命，不敢再生枝节，坚持要毓贤就地伏法，给洋人一个交代。听说毓贤要问斩，山西的义和团残余，扬言要劫法场，兰州城里，也到处都是声言闹事的揭帖。可是，真到问斩的时候，一个人也没来。

杀毓贤，护理甘陕总督何福堃监斩，具体事务，由兰州的首县皋兰县知县和总督中军负责。按说，兰州有现成的刑场，从来也没断了杀人。专业的刽子手，也是有的。但是，临刑那天，毓贤为了让刽子手动作麻利一点儿，少受点儿罪，把一个金镯子褪下来送给了刽子手。刽子手见财心软，一刀下去，居然没有把脖子砍断，让毓贤没死了，活受罪。见状，毓贤的随从看不过去了，上去补了一刀，才算了事。

毓贤据说临刑前还算镇定，写了一晚上的字，临了，还没有忘记把自己的图章盖在写的条幅上。大概，他觉得他的临终遗言，会被人收藏的吧。时辰已到，磕了三个响头接旨，引颈就戮。然而，事过之后，毓贤并没有像他想的那样，成为烈士，从朝廷到民间，人们很快就把他忘了。

当然，庚子之变，最大的罪魁，其实是西太后。毓贤充其量只是一个积极的执行者，一只跑得比较快，叫得凶，咬了人的走狗。但就执行者而言，载漪、载澜和董福祥都干得比他更猛。但是，载漪、载澜是满族亲贵，董福祥是武人，手里有兵，都可以通融，唯独他和赵舒翘，非死不可。替罪的尽管不是羔羊而是走狗，洋人太凶，也没办法。走狗不跑不叫不行，但跑猛了，叫狠了，咬人惹出事儿来，还是得给烹了。比不得端王爷和澜公爷，人家是太后的自家人。要怪，就怪毓贤自己会错意，竟把自己当忠臣了，急火火地跑去为君分忧，最后也只好"君要臣死，臣不得不死"了。

## 赵尔丰之冤

赵尔丰是被历史钉在耻辱柱上的人物。只要一提辛亥革命武昌起义前的"保路运动"，赵尔丰就是"赵屠户"，屠杀请愿民众的刽子手。当年煽动各地武装保路（造反）的"水电报"（放在河里的带字木板）说："赵尔丰先捕蒲、罗，后剿四川，各地同志，速起自救。"所谓"剿四川"，不过是动员性质的夸张，却一直被当作实事来讲。赵尔丰当时有多少兵马可以"剿四川"呢？听他话的，不过三千巡防营加上他两百人的卫队而已。

赵尔丰是清末少见的能吏。川边西康地区，向称难治，在清朝中叶，曾经多次叛乱。清末庚子以后，由于西藏在英国的策动下，趋于不稳，接壤西藏的西康，一些土司和喇嘛，也开始躁动。而管辖川边的清朝官吏，又只会妄作威福。1906 年，清政府驻藏帮办大臣凤全，在进藏途中路过巴塘时被当地土司袭杀。以此为契机，原任建昌兵备道的赵尔丰，奉命进剿。在平事儿之后，被骤然升为川滇边大臣，成为封疆大吏。赵尔丰在川边六年，有时还担任驻藏大臣，在川边实行改土归流，大拆大改。虽说平叛时，由于剽悍的叛军抵抗激烈，的确杀戮过甚，但也把川边的大部分藏汉民众，从土司的奴役状态下解放出来，废除了土司乃至喇嘛庙的封建特权。同时，办学校，修公路，设驿站，架电线，开设制革厂、官药局、试验农场，设立警察局、邮电局，奖励工商业。内地才有的新政事业，西康都有。一时，西康呈现出前所未有的新气象，过去的贵族和民众，感觉也还不错。西藏也由于赵尔丰的震慑，局面趋于稳定。

然而，1911 年朝廷的铁路国有政策，却让事业遂顺的赵尔丰，掉进了一个巨大漩涡里，事败身死，留下千古骂名。拿破仑也有他的滑铁卢，然而赵尔丰的名气不够大，他的滑铁卢，把他整个给毁了。

铁路国有政策，是盛宣怀在推，但实际上是把持朝政的满族亲贵的一种收权大策略的体现。把原来属于地方、民营的路矿权收归国有，无论有无技术上的合理性，都是一种改革的倒退，等于把民间的所有物强行收归朝廷。这种干法，如果放在清朝中叶，当然没有问题，但是，放在士绅和绅商民智已开的清末新政时期，肯定是会引起激烈反弹的。

而四川的铁路事业，又格外纠结。跟别省不一样，四川办铁路，等于是全民起哄，各个阶层，都高度参与，寄托的希望也特别大。但由于规划设计错误，沿着长江从宜昌进川，多年没有什么进展。而路款又被主事者拿到上海炒股，卷入橡胶风波，赔了大半。一旦收归国有，交接过程中，烂账就会暴露。所以，明白个中猫腻或者半明白不明白的上层士绅，都不希望铁路国有，如果非要国有的话，至少朝廷在接手时，可以把烂账的窟窿给他们补上。然而，精明的盛宣怀，怎么可能干这种赔账的买卖。所以，铁路国有的推行，在四川，阻力特别大。

当时，护理四川总督的是藩司王人文。此人久在四川，老于宦海，深知这里的水特别深。所以，迟迟不肯遵朝廷的意思，强行推行铁路国有政策，居然奏请朝廷，建议缓办。少不更事的满族少年亲贵，哪里会买四川人的账？于是，赵尔丰就被派到了成都，接任四川总督。尽管前任川督是赵尔丰的哥哥赵尔巽，在四川人缘不错，但是弟弟赵尔丰却不大想高升一步，做这个总督，因为他觉得川边的事情，他还没办完，很多事业，刚开了一个头。接到电报之后，还奏请朝廷让他接着在川边干，但是，朝廷不许，执意要他去成都。

来到成都之后，赵尔丰并不是一上来就高压硬推铁路国有。事实上，他跟王人文差不多，也觉得这里头水太深，川人反应太激烈。如果能缓办，缓一缓最好。然而，朝廷这边，坚决不肯缓办，压力越来越大。赵尔丰是汉军旗人，世受清廷深恩，不可能对朝廷真的有所违拗。本质上，此人其实是一个武夫，用兵打仗，也的确有办法，但也有武夫的脾气。所以，他又转过来，对川人施压。在1911 年的 9 月 7 日，他把四川谘议局议长蒲殿俊、副议长罗纶以及川汉铁路股东会的代表张澜、颜楷等人约至督署开会，再度进行劝说，然而，会议气氛越来越紧张，双方最终闹翻。一气之下，赵尔丰犯了一个大错：把这些人都扣押了。

这一下，成都群情激奋，第二天，上千人涌到督署，要求放人。民众涌入大门，卫队挡不住，眼看人就要冲进来了。暴怒的群众，如果真的冲进来，会发生什么，真的令人恐惧。于是，赵尔丰下令朝天鸣枪示警。当年的川人，相当闭塞，洋枪的施放，都很少见识，枪一响，人就乱了，卫队的马队还冲出来驱赶。结果，好多人受伤，到底有没有死的，四散逃命的人们一时也搞不清楚。当时的目击者回忆说，的确没有朝人群开枪，所以即使有死的，也是受伤后的事儿了。当年朝廷正在搞新政，文明是一个最重要的尺度，哪里有人敢公然对示威的民众开枪？

但是，枪一响，有人流血，传出去，就面目皆非了。传到后来，就变成了一场大屠杀——赵尔丰排枪射人，死伤无数。赵尔丰就这样变成了"赵屠户"。这样的传说，在某种程度上，也是好事者有意为之，传得越是邪乎，动员人们武装保路就越是方便。"水电报"上还说，赵尔丰马上要屠川了呢。一时间，四川各地，全都乱了，和平保路，变成了武装造反。

接下来，武昌起义发生，全国大乱。四川新军不稳，原来指望的湖北新军，也叛了。只能指挥三千巡防营和二百卫队的赵尔丰，也没有本事力挽狂澜于既倒，于是交出了政权。他人倒也没走，就待在成都。因为担任都督的蒲殿俊，对赵尔丰还相当客气，有事随时请教。但是，这个原谘议局议长，只是一个文人，很快被一个野心勃勃的武人尹昌衡所取代，为了立威，根基不深的尹昌衡需要赵尔丰的人头。

尹昌衡发迹，是由于赵尔巽的提拔，所以，赵尔丰对尹昌衡的印象不错，警惕性大大放松。而尹昌衡居然去跟赵尔丰谈，说现在成都局势不稳，外面猜忌很多，赵尔丰带着兵，反而有危险，不若把兵交给他，他保证赵的生命安全。还说革命现在前途未卜，如果革命成功，他保赵尔丰；如果革命不成功，赵尔丰保他。两人谈得投机，指天为誓，绝不相负。当时，尹昌衡也是袍哥的双龙头大爷，袍哥讲信义，赵尔丰是知道的，于是放心地交出三千巡防营的兵权，犯了他一生中最后一个大错。

然后，尹昌衡带兵突袭赵宅，把赵尔丰抓了，召开群众大会，公开处决，还把赵的人头，挂了三天示众。

　　然而，借赵尔丰人头立威的尹昌衡，并未孚众望。不久，趁他领兵出征西康之时，他的都督之衔就被人给夺走。这个尹昌衡，也就像一颗彗星，闪了一下，就在历史上消失了。

# 第二章
## 大大小小那些人物

## 姜桂题和他的老毅军

在进入民国之后，中国的军队，还有三支部队是清朝的旧模样。这三支分别是张勋的定武军，俗称辫子军，倪嗣冲的安武军，以及姜桂题的毅军。在晚清新政时期，新式陆军的编制，已经西化了，军、镇、协、标，就是西方的军、师、旅、团。但是，这三支军队，在民国之后，依旧是清朝的旧制，基本单位是营，十个营设一个统领，若干统领之上，是军统。

晚清的军队，分为新军和巡防营两个系统。北洋军和各省的新军，都属于新军，完全西式编制，原来的练军和淮军，以及招安的土匪，都编成巡防营。但是，进入民国之后，原来的一些巡防营，比如张作霖和陆荣廷的部队，都改编成了新军模样的国军，只有这三支部队，还保留了原样。

这是因为，这三支部队，都跟袁世凯有着不寻常的关系。姜桂题的毅军和张勋的定武军，都是北洋的支系；而倪嗣冲的安武军，则是由北洋军衍生出来的军队。三人虽说跟袁世凯关系密切，但都对清朝有很深的感情，定武军甚至连辫子都不肯剪。毅军剪辫子，差点儿闹出风潮。所以，袁世凯特许他们保持旧制。其中，姜桂题和他的毅军，由于在鼎革之际特别配合，立下了汗马功劳，所以，袁世凯对之青眼有加，毅军的军饷和待遇，居然比正牌的北洋军还要好。

毅军是淮军的一个分支，靠剿捻起的家。而姜桂题，则是由捻军投靠过来的一员悍将。在甲午战争中，守旅顺兵败，被褫夺了官职，留任军中。袁世凯接掌小站新军之后，把姜桂题调来任翼长，所以，姜桂题也算是小站旧人。鼎革之前，继马玉昆之后，接掌毅军，按兵力来说，要算是当年京师的一支重要武力。所以他的配合，对于袁世凯顺利上位，至关重要。

姜桂题跟毅军的创始人宋庆一样，都是大高个，身材魁梧，跪着跟人站着一样高。当年的西太后，特别喜欢这种高大魁梧的武夫，无论怎么都会高看一眼。庚子过后，西太后回銮，颐和园里照样演戏。宫里演戏，少不了要请文武大臣来观看。别人进宫看戏，都老老实实，规规矩矩，咳嗽一声都不敢。可姜桂题头一回进宫看戏，看着唱得好，就大声叫好。西太后叫太监去看看，哪个敢这么大胆，回奏说是姜桂题。西太后听闻是他，不仅没有生气，反而笑了，说，甭管他了，那是个粗人。

姜桂题的确是个粗人，不识多少字。但是，他的人缘却相当的好。不仅西太后喜欢他，李莲英喜欢他，连后来的摄政王载沣以及载沣的弟弟涛贝勒，也都喜欢他。在北洋系里，派系纷纭，但各个派别的人，都跟他关系不错。如果不是大的矛盾，让他出来做调人，保险能调和好了。

姜桂题跟士兵，也一贯嘻嘻哈哈。麾下的将士有了过错，也不怎么责罚。姜桂题个子高，背有儿点驼，人送外号"姜罗锅"，而他说话，口头禅是"光景"，也就有人叫他"姜光景"。同僚这样叫他不生气，大兵们这样叫，他也不生气。他的兵看戏不给钱还砸了场子，他不管。民国元年曹锟的第三师奉命兵变，他的毅军也跟着变。后来人家不闹了，他的兵挪到通州，还接着闹。

不过，如果是他自己惹事，被人抓着，却会认罚。姜桂题有个毛病，撒尿从来不上厕所，也不用马桶，不管走到哪儿，内急了，路边一靠就撒尿。晚清新政，开始设立警察，讲究街面卫生。一次在浦口，他在街边撒尿被警察当场抓住，要他交罚金一元。他马上认罚，交了一块钱。他的卫兵不肯，要跟警察理论，被他拦住。为人随和不拘小节的姜桂题，并不认为交了罚款，是件丢人的事儿。

毅军在民国的北洋时期，人数不少，但基本上不起什么作用。不管谁打谁，他们都在边上看着。所谓的毅军，就是军阀混战中的鸡肋，兵老将疲枪械差。一度，姜桂题有过一块地盘，鸡肋一样的热河。在这个地盘上，他跟张勋一样，开种鸦片。但是，这个像鸡肋一样的地盘后来也丢了，他被任命为莫名其妙的陆军检阅使，带着毅军，驻扎在北京。姜桂题也无所谓，断然不会举兵反抗死保地盘。反正只要他这个老资格的陆军上将不死，无论哪个上台，都不会把这支部队给拆了。而他自己，只要有戏看，有酒喝，别的也就无所谓了。1922 年他死了，毅军也就到寿了，被拆得七零八落，卷进了军阀混战之中，烟消云散。

在北洋历史上，没人记得姜桂题和毅军的战绩，但是，人们都记得姜桂题这个人。

# 半个遗老北洋之龙

"北洋三杰龙虎狗"，王士珍位列第一。但论起来，王士珍比起段祺瑞和冯国璋，明显差了节气，好像没干过什么。当然，他是可以干点儿什么的，只是，另外两位都是民国才成了气候的，而对于民国，王士珍很有想法。

辛亥革命武昌起义之后，袁世凯再度出山组阁，王士珍担任权位相当重的陆军大臣。跟冯国璋一样，他不满老把弟段祺瑞打电报拥戴共和，曾经去电责备。清帝退位诏书一下，他毅然决然不顾袁世凯的死命挽留，不辞而别，回了他直隶正定的老家隐居去了。冯国璋也眷恋清室，但他比冯国璋的态度更为坚决。冯国璋不满意袁世凯，但袁世凯要他给他抬轿子，他还是抬的，王士珍则撂挑子了。

在老家，他有一个不大的庄园，庄园的堂屋里供着光绪皇帝写的"福"字，日日膜拜。他本人辫子不剪，长袍马褂。有客来访，则一身清朝官服，顶戴花翎，让人先拜"福"字，然后再跟他见礼。无论谁来劝他，他都表示从此以后在家隐居，再也不做官了。

但是，他是小站的旧人，北洋顶梁柱似的人物，眼见得北洋人坐了天下，自己就在近在咫尺的正定闲居，说他内心完全没有波澜，怎么能做到呢？所以，在袁世凯"二次革命"扫荡了国民党之后，派了大儿子袁克定请他出山，忸怩半晌，最后还是跟着袁克定进了北京，见了主公袁世凯。

此时，北京政府最为关键的陆军总长，由段祺瑞在执掌。段祺瑞是个敢当事的人，在他眼里，只要是为北洋好也为袁世凯好的事儿，即使袁世凯不答应，他也敢先斩后奏。又加上段祺瑞做事不细，经常大撒把，大事小事，都交给他麾下的"小徐"徐树铮来办。而徐树铮又是一个喜欢玩弄权谋、独断专行之人。这么一来二去，袁世凯未免对段祺瑞不放心起来。成立了一个陆海军大元帅统帅处，把陆军部、海军部再加上总参谋部都搁了进去，实际上等于把最有实权的陆军部总长段祺瑞给架空了。这个统帅处，袁世凯就让王士珍来主持。北洋之龙压着北洋虎，段祺瑞就是想有意见，也没法发作。

袁世凯称帝，段祺瑞辞职不干了，王士珍还在上班。只是，他内心深处，却也不以为然。如果说段祺瑞反对洪宪帝制，是为了民国，而王士珍不赞同洪宪帝制，则是为了清室。在王士珍这些具有遗老思想的人看来，如果袁世凯做总统，还可以说是服从民意，不得不如此，做了皇帝，那可就是篡位的王莽和曹操了。

不甘追随莽操的王士珍，在袁世凯事败之后，追随张勋可是相当积极。张勋复辟，如果他要出面反对的话，这个"辫帅"连北京城都进不来。毕竟，北京的守城部队，还有三万多人，这些大兵，对北洋之龙的话还是听的。可是，复辟那十几天，王士珍一直如影随形，成天穿着朝服跟着张勋，还做了复辟朝位置最高的议政大臣。不仅如此，他还急电他的学生第七师师长张敬尧，让他从洛阳赶到北京，为复辟保驾。只是由于段祺瑞动作太快，而且各个军头转向更快，形势急转直下，他才临时转舵，让张敬尧离开的。

不消说，脑后的小辫子一直留到1915年的王士珍，对复辟的失败，是相当遗憾的。复辟失败之后，两位老把弟段祺瑞和冯国璋，把个陷得很深的王士珍轻轻带过，不仅不追究，还让他做总参谋长。

王士珍在民国，自打出山之后，一直都在最高层转。不是参谋总长，就是陆军总长，再不就是总理。然而，骨子里，他从来都没有信任过民国，没把民国的官儿当回事。跟那些死心塌地的遗老不一样的地方，仅仅在于他还在做民国的官。但他的内心，则跟复辟元凶张勋、陈宝琛、刘廷琛、胡嗣瑗这些人没有什么两样。不仅忘不了清朝的深恩厚泽，而且不信任共和制度。

这个王士珍，算是半个遗老。


# 中将汤变节记


汤芗铭在民国初年，是个人物。他是湖北谘议局议长、著名立宪派首领汤化龙的弟弟，在法国学的海军，回国之后，一直在海军服役，深受清末海军司令萨镇冰的器重，是萨镇冰的秘书。武昌起义，萨镇冰受命率海军舰队去镇压，把个挂名的鄂军都督，也是出身海军的黎元洪吓得半死，说是海圻号重巡洋舰上的重炮，可以把武昌轰平。

然而，海军没有怎么向起义军开炮，因为汤化龙的关系，汤芗铭说服了萨镇冰，把舰队交给了他，海军起义了，炮口对准了前来镇压的北洋军。后来南京临时政府成立，汤芗铭做了海军次长。袁世凯做总统之后，原本对革命党就不感兴趣的汤芗铭，很快转向。所以，在袁世凯政府里，他依旧做海军次长。

二次革命，汤芗铭率领部分的海军舰艇，在攻打江西革命党人的过程中立了功，然后进军湖南岳州，逼得国民党人的湖南都督谭延闿不战而交出政权。为了酬他的功劳，袁世凯把湖南都督的位置给了汤芗铭，后来又改成湖南将军。

汤芗铭的政治立场，跟乃兄一致。当时二次革命的时候，梁启超和汤化龙这些进步党人，对国民党很不以为然。漫说汤化龙的胞弟汤芗铭，就连受梁启超影响的蔡锷都坚决反对。所以，汤芗铭对国民党下狠手，也可以理解。由此登上湖南都督的宝座，汤芗铭是相当意满志得的。

湖南是革命党的老巢，也是会党的大本营。坐镇湖南，不是件容易的事儿。仗着有曹锟第三师在岳州镇守，替他撑腰，汤芗铭在湖南下手相当狠。对革命党和会党，能杀就一定杀，因此人送外号"汤屠户"。但是，北洋的人都叫他"中将汤"。中将汤是一种中药汤剂，但恰好汤芗铭也是中将，又姓汤，刚刚好。当年，他才28岁，是封疆大吏中最年轻的一位，年轻气盛，不知仕途的险恶，已经站在了袁世凯一边，就死心塌地地为袁世凯卖命，没考虑给自己留条后路。

但是，更严重的问题是，汤芗铭毕竟是海军出身，做了湖南将军，没法像李纯他们那样带着自己的部队上任。组建自己的基本队伍，得从零开始。而他学的是海军，又过于洋气，所以只能找曹锟要人，替他组建部队。原本，他看上的是曹锟的副官长吴佩孚，但是他赞美得太狠，曹锟觉得，既然吴佩孚是个这么好的人才，我留着自己用好了，于是给了他另外一个人。这个人恰好比较平庸，折腾了两年，也没有组建好一个能打仗的混成旅。到了袁世凯要称帝的时候，中将汤的麻烦来了。

首先，他的哥哥汤化龙跟梁启超一样，是反对帝制的，这让他对袁世凯的认识出现了动摇。虽说劝进什么的，他都跟着做了，但内心深处却很是彷徨。其次，在广西的陆荣廷也开始讨袁之后，湖南面临两个方向上的压力，一边是加入讨袁队伍的贵州兵进入了湘西，一边则是更危险的敌人桂军在南边虎视眈眈。而原来驻在湖南的北洋军第三师，则已经被调到四川去了，在湖南的都是一些杂七杂八的部队，相当的零碎，从奉天调来的范国璋一部，从河南来的唐天喜一部，还有一些倪嗣冲的安武军，谁也指挥不了谁，谁也不听汤芗铭的。而他自己组建的一个混成旅，在湘西跟黔军的交锋中还被打散。一时间，所有在湖南的北军，都风声鹤唳。

在这种情况下，汤芗铭出于自保，唯一的选择是响应护国军的号召，宣布湖南独立，在名义上加入讨袁阵营。当然，他也就真的这么干了。自然，湖南的独立，对袁世凯阵营的打击是相当大的。毕竟在北洋人看来，这个汤芗铭是受了袁世凯重用的，如此干法，等于变节，没有良心。湖南独立之后不久，袁世凯就一病不起，人们哄传，袁世凯的死是因为喝了"二陈汤"。二陈汤也是一种中药汤剂，原本是救命的，喝不死人。但是，两个反叛的封疆大吏汤芗铭和陈宧，一个反叛的镇守使陈树藩，却真的要人命。袁世凯的大局，因为这些人的变节倒戈，变得风雨飘摇。

但是，汤芗铭变节之后，讨袁这边的一些人并不肯放过他。当年他在湖南杀戮过甚，得罪人太多，一旦大局不稳，群雄并起。人们传说，桂军马上就要杀过来了（其实桂军根本没动）。在湖南的北军，一夕数惊，纷纷撤离。在这种情况下，没有自己嫡系武力的汤芗铭，只好悄然走路。

此后，恨透了他的北洋人，当然对他不会客气，而国民党这边，因为他在湖南的旧怨也恨他。两边不讨好的汤芗铭，从此以后，在政坛上就基本上消失了。其实，他还是个蛮有才华的人，白瞎了。

# 一个轶事，两个林虎

在民国的历史上，林虎是个人物。但是，这个人物在国民党的记录中，却面目不佳。早年的林虎是一个坚定的革命党人，参加过辛亥革命，而且是革命军的中坚；"南北议和"之前，在南京的江西军队兵变，黄兴就是靠他平的乱；"二次革命"，江西的军队大多首鼠两端，只有他的一个旅，在湖口跟精锐的北洋军李纯部两万多人打了一个多月。当年，唯一给国民党人挣了点儿面子的，就是林虎。

后来林虎成了陈炯明的悍将，也是孙中山手下唯一能打仗的部队。孙中山在北洋时期所有的作为——讨袁、护法、建立广东根据地，背后都有陈炯明，也有林虎在支撑。

然而，在陈炯明和孙中山闹翻、陈炯明的另一个部下叶举炮轰孙中山总统府之后，作为陈炯明的干将，林虎此后的种种作为，都有了罪过。最大的罪过，是国民党党军三次东征，林虎都站在对立面，成为东征最大的障碍。在任何时候，叛徒都比较让人讨厌，于是乎，林虎的面目也就变得狰狞起来。

所以，在国民党史学家笔下，林虎的形象很不怎么样。甚至因为他的后来，抹去了他前期的功劳。

不过，全面评价林虎不是我今天想要做的，我想写的，是林虎的一桩往事。林虎早年家境一般，父亲不过是候补县丞，有差事可派，就有点儿收入，没有，就坐吃山空。所以林虎早早地就寻求出路，补贴家用。1902年他15岁，因为长得高大，虚报了年龄，投考江西武备学堂。据他自己讲，在武备学堂读书期间，基本上都在前五名以内，所以可以拿到奖金。17岁那年，眼看就要毕业，他却惹出了事儿。他自己说，有天傍晚，跟五个同学在学校旁边的东湖岸上散步，听见有男子的笑声和妇人的叫骂声。过去一看，原来是四个闲人拦着一架坐着三个妇人的独轮车，有意调戏。他带头，和四个同学过去，把四个闲人教训了一顿。第二天，学堂的监督陈伯文集合同学，问昨日谁在外面打架了。他出来说明了原委，被监督稍加训斥，事儿就过去了。但四天以后，学堂居然挂牌将他们五人处分，除了他之外，其他四人都被开除——因念他成绩优异，记大过三次，打手板20下。但是他不肯单独留下，遂与四人同进退，一起离开了学堂。

这个事儿，林虎的部下却是这样记录。

说是那天他们在学校附近的灵应桥上纳凉，适有江西候补知县刘某乘肩舆过桥，仆役随从很是招摇。林虎他们几个看着不顺眼，就对其指指点点，发声讥讽。刘某的仆役很是不满，大声喝止，双方发生争执，最后开打。刘某的仆役被打得落花流水，刘某也被拉出肩舆吃了老拳，最后，连肩舆也被砸毁。

第二天，刘某告到学堂，才有了监督陈伯文的集合队伍，找出犯事者加以申斥的过程。由于没有得到打人者被惩罚的结果，刘某咽不下这口气，最后不知通过什么关系，告到了当年的江西巡抚夏时那里。大概是托的关系有几分面子，夏时下令武备学堂查办，于是才有了四天之后的惩罚。后来的事儿就都一样了，林虎和四位同学一起离开了学堂，都投军去了。

这个事儿，比较起来，显然林虎的叙述不大合情理。如果是他们仗义相救，就算打人了，学堂也没有道理开除他们。而且要想查清此案，找到那几个妇人和车夫应该不难。更没有道理第二天轻描淡写地训斥几句，第四天却兴师动众，开除了四个，记大过一个。很明显，是林虎他们闯了祸，没有太大来由地打了人，还砸了人家的轿子。林虎的部下，将之说成是看不惯刘某的招摇，痛打狗官，其实也是夸大其词。一个候补知县，还没上任呢，怎么说人家一定是狗官呢？即使招摇，又能招摇到哪里去呢？晚清捐班之滥，无以复加，这样级别的候补官如过江之鲫，除了极个别来头大的，剩下的不饿饭也就不错了，哪里可能有那么大的威风？这也是为什么刘某告到学堂之后，学堂监督并没有当回事的原因。当然，官场的事儿比较复杂，正好赶上刘某多少有点儿来头，能托人找到巡抚，巡抚也就真的当事给办了，于是呢，林虎他们就只好走路了。

这点事儿，对于当年包括林虎在内的五个年轻人来说，的确是大事，害得他们没了眼看到手的文凭。但是，的确是他们自己闯的祸，这个祸没什么道德含量，既不是仗义救人，也非痛打狗官为民出气。这件事如果有亮点的话，唯一的亮点就是林虎比较仗义，不肯独自留下拿文凭，跟着那四个人一起离校。

只是在后来的历史上，那四个人都籍籍无名，只有林虎挣出了名头，仅仅后来因为跟错了人站错了队，才被涂抹成了白鼻子。我最早做北洋军阀研究的时候，拿到的资料，关于林虎的，净是些负面的说法。

# 段祺瑞这个人有多好？

最近这些年，北洋的事儿有点热，北洋大佬段祺瑞的声誉看好，大有蒸蒸日上之势。当然，过去讲北洋人物基本上都漫画式的，段祺瑞注定是一个要被涂了白鼻子的角色，其实很没有道理。但是，有一些评论则把这位北洋之虎，说成是民主的捍卫者，道德的化身，又有点儿过了。

的确，段祺瑞不爱财，生平不聚财，不置产业，到死无论在北京、天津还是上海连栋房子都没有。大权在握，不受贿，不拿回扣，也不任人唯亲，大公子段宏业，一直都没有正经的工作，当年众多的军头，动辄父子将军，姑爷舅爷横着走，跟他比起来，简直像两个世界的人。一个妻舅吴光新得到重用，也多半是因为此人资历、学历和学识，确实有过人之处。

段祺瑞在世的时候，其拥趸说他是"三造共和"的元勋。辛亥革命期间，袁世凯跟南方谈判，逼清帝退位，北洋诸将像王士珍、冯国璋都不配合，只有段祺瑞参与其间，随袁的意思起舞；袁世凯称帝的时候，他不表赞成，辞官不做，袁世凯临死，拉他出山，他做实权的总理，毕竟恢复了临时约法和民元国会，这就是算是再造了；至于三造，则是讨平了张勋复辟。

段祺瑞在北洋军人中也的确是个讲规矩的人，跟一个空头总统黎元洪相处，与一个不听话的国会相伴，大体上还能尊重约法，尊重国会，尊重总统，有事有商量。"五四运动"学生闹得那么不像话，坊间都传说他要镇压，但他就是没镇压。不仅自己不镇压，而且要各地军头也不动横，客客气气地把这些学生娃子弄烦了，弄疲了，自己收了兵。第二届国会选举，改革方案是"研究系"提出来的，在段祺瑞自己，选举也还是要按规矩来的。组织"安福俱乐部"，操纵选举，是徐树铮的事儿，段祺瑞未必事事都清楚。

但是，事情就怕细究，细细追究起来，很多事儿似乎就不大是那么回事儿了。先讲所谓的"三造共和"吧。所谓一造，打造共和倒未必，但推袁上台，他的确是首功；二造，其实也是袁世凯的意思，袁世凯临死推举段祺瑞主掌北洋系，让黎元洪继任总统，本身就有让民国回到原地的意味；而只有三造，才名副其实。但是，作为北洋大佬，这一造也忒容易了些。受到日本支持的六万多讨逆军，打两千辫子军，这叫个什么仗？

其次，段祺瑞的确不要钱，但是段公馆的一切花销，都是公家包圆，连家里的仆人都在陆军部领干薪。他爱下围棋，若干清客陪着他下，这些人名义上都是陆军部的顾问，每月百多大洋养着。他是不蓄财，但需要钱的时候写个两寸宽的条子，到中国银行和交通银行，甚至北四行，就可以取出几百到几千元来。他没有房产，但到哪儿都有人给他房子住，而且相当奢华。他自己不弄钱，却从来不挡着部下弄钱的道儿，在皖系当家的那几年，据八大胡同的人说，就数皖系的军头和政客花钱大方，千把万地往窑子里砸。他自己不好色，但手下的干将，自徐树铮、王揖唐以下，几乎个个都娶了八大胡同"清吟小班"里的苏妓做姨太太。段祺瑞跟袁世凯一样，用人舍得给钱，无形中纵容了手下人的贪腐。

段祺瑞用人，有容人之量，信任哪个一定大撒把，惹出娄子来，他却能出面给你担着。他手下的确有聪明人，比如徐树铮，但这个小徐过于胆大妄为，每每独断专行。段祺瑞讲规矩，奈何小徐不讲，府院之争之所以最后闹得不可开交，冯国璋和段祺瑞差点儿决裂，在很大程度上都是拜小徐所赐。同时，段祺瑞也不大识人，吴佩孚也是他的学生，但他却从来没看上这个山东来的小个子，而对于酒色财气俱全的段芝贵，他却青眼有加，在跟直系决战的生死存亡之际，居然把兵都交给这个小段。对于早就腐化的第七师师长张敬尧，他也是相当偏爱，如果不是为了张敬尧，对吴佩孚有功不赏，他还不至于得罪吴佩孚，最终导致吴佩孚刀兵相向。

当然，段祺瑞最大的失误，还是发动"南北战争"。本来，听从梁启超的建议，站在协约国一边参加一次大战，决策无疑是正确的。不仅得以暂缓支付庚子赔款，省掉了德奥部分的庚款，而且得到了日本大笔的贷款，为中国赢得了自庚子以来最好的国际环境，给在战后争取逐步废除不平等条约，争取关税自主，也奠定了良好的基础。

但是，作为最有钱的北洋政府，却把本应投到基础建设上的钱，完善共和制度的钱，都投到了无谓的"南北战争"里。原本孙中山搞护法、另立政府是一场儿戏，没有地盘，没有军队，没有人拥护，北京政府根本就可以无视之。然而，段祺瑞却非要借这个机会向南扩张，搞武力统一。扩张激起西南军阀的恐惧心，反而使得孙中山的护法政府有了后盾。段祺瑞自己没有嫡系武力，要想开战只能花钱雇军头们打仗，代价之高，绝非当年的政府所能支撑，结果是把日本贷款大把大把地丢在了水里。何况在运行过程中，又用人不当，赏罚不明，得罪了能打仗的吴佩孚，最后铸成大错，导致北洋系大分裂，直皖开战，活生生断送了原本的大好局面。

至于第二次直奉大战之后，段祺瑞短期出任执政，实际上已经成了傀儡。当然，当年"三一八惨案"为什么执政府的卫队会向请愿群众开枪，至今是个谜。可以肯定的是，开枪不是段祺瑞的命令，但事情发生之后，段祺瑞也没有像很多人说的那样，长跪不起，忏悔不已。至于吃素念佛，是他老早就做的，跟惨案无关。

# 舅爷吴光新

在北洋历史上，如果要给吴光新写传的话，史家一定会将之排列在段祺瑞的附条之中，而且不会有几句好话。其实，吴光新官阶不低，带的兵也不少，而且，资历很老，属于小站旧人，履历也很漂亮，是北洋系不太多的日本士官生。当年，他随着段祺瑞进了小站，在小站新军的随营学校读书，随后被送往日本官费留学。士官学校毕业之后，又进入陆军大学深造，从学习履历看，算是北洋系中最光鲜的几个人中的一个了。

进入民国之后，早在袁世凯做总统的时代，他已经是二十师师长了，跟曹锟平起平坐，吴佩孚此时还仅仅是个团长。如果说，这一切仅仅是因为他是段祺瑞前妻的弟弟，倒也未必。段祺瑞的确不大会用人，但要说任人唯亲，却还谈不上。他的大公子段宏业，始终没有得到像样的一官半职。哪里像张作霖，儿子六岁，就给挂上了陆军少将的肩章。据他的同学说，吴光新这个人非常聪明，在日本留学期间，尚在士官学校的预备学校成城学校的时候，一口日语就相当流利了。此后进陆大，也是经过考试的。在日本学习期间，由于日语好，对日本的政治和社会也相当留意，有比较深的了解。

只是，履历好看的人，一般都比较傲，加上他又是段祺瑞的妻舅，身份特殊。当年北洋系，所有的军校，段祺瑞都做过监督（校长），所以，绝大多数北洋将领，都是他的学生。他的为人又比较豁达，道德自律也相当严。因此，段祺瑞这个北洋之虎在北洋系的地位，仅仅次于袁世凯。而作为段家唯一一个进入军界的亲戚，自然人人都哈着他，人前人后，大家都喊他舅爷。这位舅爷也就更加鼻孔朝天，眼高于顶了。

当年的民国军界，没有几个人能入吴光新法眼。北洋人还是老派作风，即使看不上哪个，当面也断不会让人下不来台，不好听的话，只会在背后说说。然而，当年的吴光新却经常当面让人下不来台，即使有人圆转，他也不领情。所以，在北洋系，尽管人家看段祺瑞的面子处处让着他，他的人缘却坏得不能再坏了。每当这种时候，人家不会认为此人的傲是因为他有学识，学历高，而是将之归为他的舅爷身份。

这样傲气的人，带兵也不行，一副高高在上的架势，动不动就发火，给人难堪。就算这些兵是你自己招的，军官是你提拔的，也未必能忠于你。所以，尽管吴光新官不小，带的兵也不少，跟曹锟、吴佩孚比起来，他的部队跟他的关系却很疏淡，一旦散了，就聚不起来。

直皖战前，吴光新的官衔是长江上游总司令，带了六个旅，驻扎在川鄂边界一带。这个头衔，原来就是曹锟的。此时的吴光新想做一省的督军，看来看去，也就是河南督军赵倜相对来讲比较弱，手下只有一些毅军，不像能打的样子。于是，他就跟段祺瑞说，他想做河南督军，只要北京政府下令，他自己带兵进入河南就可以搞定。然而，尽管总统徐世昌是段祺瑞捧出来的，总理靳云鹏是段祺瑞的爱徒，但是，由于吴光新人缘太差，靳云鹏也不乐意多事（毕竟得费周折把赵倜赶走），于是拒绝了吴光新的要求。政界的事儿，没有不透风的墙，这个消息很快被赵倜得知，自然是气得不行。原本直皖之间就剑拔弩张，选择站在直系一边的督军并不多，这样一来，等于把赵倜赶到了直系一边。

靳云鹏被皖系赶下台之后，直皖之间开战已经不可避免了。作为奇兵，吴光新这一万多人，原本是段祺瑞用来从背后侧击吴佩孚的。但是，走到常德就被冯玉祥给打了埋伏。部队被打散了，吴光新逃到了武汉。皖系战败之后，躲在汉口租界的他又被湖北督军王占元诱捕，上了直系列名通缉的十大祸首的名单，在北京的家也被抄了，多年积攒的家底，都没了。别的祸首都逃了，只有他一个人在武昌坐牢。第二年免除牢狱之灾后，作为段派的人，销声匿迹了一段时间。在段祺瑞和奉系合作期间，再度出山，第二次直奉战争，直系战败，段祺瑞的执政府中，他是陆军总长。可惜，此时的段政府只是一个傀儡，而他则是傀儡中的傀儡，执政府歇菜，他也就从此歇菜了。

## 袍哥范哈儿

范哈儿就是范绍增，原名更典雅，叫舜典，因为他的祖父，是个教书先生。此公在川中军阀里，是个二流人物，但在袍哥中，却是一等一的双龙头大爷。天下帮会是一家，但是，能让上海的杜月笙亲自接待，吃喝嫖赌全包的袍哥大爷，也就范哈儿一个。

范哈儿长得憨头憨脑，用今天的话来说，显得有点儿萌，别的不讲，单论长相，就讨人欢喜。所谓哈儿，四川话就是傻子的意思。范哈儿从小不爱读书，五年私塾，大字识不了几个。但是上山打猎抓鸟，淘气惹祸，却是行家里手。十五六岁上就"嗨了袍哥"。据说，收他的人，同时也是革命党。晚清四川甘陕一带的革命党，跟帮会彻彻底底混成一家，不像别的地方，还多少有点儿分别。所以，嗨袍哥"嗨"成了革命党，再正常不过了。

不过，范哈儿却不知道什么叫革命，对孙中山、黄兴都没感觉。他的意中，这就是嗨袍哥，拜关公，拜王伯当，讲义气。保路运动，扯旗拉起保路同志军，那就变成浑水袍哥，原本也无所谓的。革命后，在袁世凯治下，各路同志军接受改编的接受改编，没有接受改编的散的散，蛰伏的蛰伏。真正被消灭的，其实没有，因为即使依旧占山为王，来剿的官军，原本也是袍哥武装的底子，自家人何必跟自家人为难？

袁世凯称帝，讨袁战事一起，进入四川的蔡锷讨袁军点燃了多事的四川，各路大大小小的英豪应势而起。从此以后，四川就打成了一锅粥。当然，就算是军阀混战，并没有我们后人想象得那么不堪，仗主要在有兵的人中间打，民间该干什么，还是干什么。川人嘛，玩性大，麻将照打，茶照喝，龙门阵照样摆，有的时候，胆子大的闲人，还搬上板凳，去看人家开仗，就像看人家喜庆日子放鞭炮一样。

范哈儿的好日子来了。此公为人仗义，胆子比天都大，关键时刻顶得住。单这两样，袍哥人家都服。拉队伍的时候，待弟兄们好，自己吃干的，绝不会让弟兄们喝粥。跟人搭伙，合就合，分就分，干净利落。四川的规矩是，袍哥的队伍，都是成伙地归在某个大头目的名下，除非被人吃掉，一个一个的大小团伙，成建制地保存。范哈儿胆儿肥，一次上司排下鸿门宴，想要干掉他，并掉他们的队伍。范哈儿袖子里掖着把手枪，独闯鸿门宴，一个黑洞洞的枪口，逼得名义上的上司放弃了吞并的念头，客客气气地送他出来，一件天大的事，消于无形。

最早，范哈儿跟的是国民党人熊克武、但懋辛，但是，四川的国民党人，跟别的军阀一样，无非争权夺利。而且治军无方，有功不赏，有过不罚，显得很不仗义。在各路诸侯的围攻下，一度称雄四川的熊克武和他的"九人团"昙花一现，退出四川，范哈儿就跟了新起的杨森。

不过，无论跟上哪个大头，他都有始有终。跟上杨森，在杨森败落之后，把队伍挂在赖心辉名下，别人这时候都心照不宣，可他却明明白白跟赖心辉说，他只是暂时跟着他，等杨森一回来，他还是要归队的。后来又跟了刘湘，"二刘大战"之前，刘湘的小幺爸刘文辉收买他，给了他一张五十万元的支票。他把支票拿出来，给刘湘看了，问该怎么处理。刘湘要他留着自己花。他也不客气，一半儿盖了公馆，一半儿拿去上海，捧戏子去了。

范哈儿跟谁，都不会朝三暮四，轻易言去。但如果主公不仗义，他也会翻脸，而且一定报复。杨森黑他，没有黑成，反而自己一败涂地。但是老奸巨猾的刘湘，不露声色就把他队伍的几个旅长都收买了，让他做了一个有名无实的副军长，把他黑得相当彻底。这种时候，范哈儿二话没说，离开刘湘，飘然而去。没过多久，抗战爆发，刘湘图谋跟韩复榘合作，一起反蒋。范哈儿利用自己的眼线，拿到了刘湘图谋的黑材料，向蒋介石告发。结果那边韩复榘被抓了枪毙，这边刘湘在医院里受惊病重身亡。

他的队伍，几起几落，但跟过他的袍哥弟兄，都乐意跟他。只要他想拉队伍，没几天就能聚拢万把人。抗战爆发，蒋介石给了他一个军的名义——一个人没有，一支枪也没有。他大旗一竖，把家底掏出来，呼啦啦，袍哥弟兄都来了，要枪有枪，要人有人。开出四川，打了不少好仗。他的队伍人倒不多，但论装备，比四川好多的部队都要好。抗战胜利后，他再一次成了空头将军，看到蒋介石要完蛋，最后居然回四川又拉了一支几万人的队伍，蒋介石给了他一个"挺进军总司令"的名义，拿了这个名义，他就带队伍起义了，投共也有了本钱。从这点看，范哈儿还是挺识时务的。

范哈儿一辈子，袍哥规矩中的坏事，一个也不沾。显然不是所有的袍哥大爷，行事都跟他一样。此公行侠仗义，急人之难，挥金如土，有恩报恩，毫不吝惜，有仇报仇，也毫不容情。对军政两界以外的人，大抵比较宽容。一次，他安排他一个姨太太的贴身丫鬟做女儿的伴读，请了一个男教师教英文。另外的姨太太争风吃醋，伪造证据，让范哈儿相信男老师跟这个丫鬟有了奸情。这种事儿，如果放在杨森头上，这位男家教加上丫鬟肯定性命不保，因为这丫鬟就等于是范哈儿的婢，也算是他的女人。可是，范哈儿却将错就错，把丫鬟嫁给了这位家教，还搭上一笔重重的陪嫁。

这就是江湖上大大有名的范哈儿，难怪至今川中盛名依旧。


## 傅良佐的悲剧

傅良佐是个会做官的人，由于父辈跟段祺瑞是世交，自己是段祺瑞的学生，人又聪明伶俐，所以，很得段祺瑞的赏识。加之又是小站的老人，所以袁世凯待他也不薄。特别被送去日本士官学校深造，成为当年不多的北洋系士官生。

其实，此人充其量是个做机关的材料，放到外面，漫说不像个军人，就是地方官也不是个有办法的。一句话，办事能力有限。袁世凯死后，段祺瑞当家，傅良佐任陆军次长。陆军总长由段祺瑞兼任，而段又是个不大管事的人，所以，那阶段陆军部的家，都是傅良佐在当。此时的北京政府，对地方诸侯没什么办法，但对直属的国军，还能控制。由于对第十六混成旅旅长冯玉祥不满意，傅良佐居然撤了冯玉祥的职。但他没有想到，这个旅是冯玉祥一手编练的，换人，下面的人不同意，此事就这样搁下来了。直到张勋复辟，段祺瑞要组织讨逆军，才给冯玉祥官复原职。

经此一事，按道理段祺瑞应该知道小傅同学办事不行了，但是，由于平时对他的印象太好，而且，讨逆的时候，小傅又鞍前马后地跑，解决了张勋之后，段祺瑞居然撤了湖南督军谭延闿，让谭去做省长，而把督军给了傅良佐。谭延闿自己掂量一下，没有本钱抵抗，也不想做一个空头的省长，于是就去了上海。

一个军人，做到封疆大吏，无论如何都是值得高兴的好事，湖南又是一个比较富庶的省份，所以，得到任命之后，傅良佐很高兴。虽然小傅手下并没有统带过的兵马，但按一般的规律，只要政权在手，不愁编练不出自己的人马来。

但是，此时的湖南，却是一个烫手的山药，不大好接。一来，傅良佐名义虽说是湖南人，但一天也没在湖南待过，父亲那一辈，就在外地做官。因此，他跟湖南，既无渊源，也没有根基，在湖南人眼里，他就是一个北人。他的到来，等于是给一直呼吁湘人治湘的湖南人，当头一盆冷水，傅良佐的到来，等于代表北人来"殖民"湖南。其次，也是最重要的，自打袁世凯死后，西南的分立状态，已经成为事实。而孙中山又得了德国人一笔钱，策动了护法运动，在广州成立了护法军政府。孙中山不足惧，但是，广西的陆荣廷和云南的唐继尧，却是大患。湖南是南北的缓冲地带，湖南督军是弱势、且对西南有亲和感的谭延闿，陆和唐都可以接受，但换了北人，就不大行了。段祺瑞在傅良佐到任之后，还派了王汝贤和范国璋两个北军的师，进入湖南，这就让陆和唐，尤其是湖南的近邻广西的陆荣廷无法容忍了。

自己坐在了火药桶上，却全然不知。傅良佐刚一上任，居然就敢动人事，一个命令，就把零陵镇守使刘建藩给免了。刘建藩抗命，宣布独立。傅良佐不知深浅，居然派王汝贤的第八师去打，这一打，就把南北战争给点燃了。

刘建藩是打不过北军，但是，战端一开，桂军就入湘了，其他的湘军也跟着响应。陆荣廷派来的，是自己的主力。桂军是土匪老底子，清末被招安之后，一直在剿匪，久经战阵。王汝贤的第八师，原来的师长是李长泰，段祺瑞讨逆的时候，李长泰听老婆的话，讨价还价过了。于是打完了仗，就让李长泰做了北京的步兵统领，师长就给了下面的旅长王汝贤。第八师已经很长时间没有打仗了，李长泰在的时候，比较贪财，没有地盘，只能靠吃空饷弄点儿钱，所以，这个师并不满员，训练什么的，也没有起色。讨伐张勋，不能算是打仗，不过一场儿戏。碰上桂军这样的硬骨头，仗可是没法打。

像王汝贤、范国璋这样的小师长，部队就是命根子，部队打光了，就啥也不是了，哪里能这样的玩儿命呢？不想打，撤退得找个理由。王汝贤自以为聪明，想了一个高调的"不打内战，呼吁和平"的借口，连招呼都不跟傅良佐打一个，就带兵北撤。他们这边一撤，仅仅有一个卫队营的傅良佐胆儿都吓没了，湘桂军还在衡山呢，傅良佐就撒丫子开溜，跑得比王汝贤和范国璋还快。

这下，可把段祺瑞的脸都丢尽了，下令撤了傅良佐的职，命令王汝贤代理。王汝贤此时已经自顾不暇了，哪里有心情做这个代理湘督。他没想到，"呼吁和平"一撤军，等于兵败如山倒，两个北军师，被追得稀里哗啦。连累刚被段祺瑞指使来的山西商震一个旅，也被冲垮了。等到三支部队撤到岳州，已经都是残兵了。商震被俘，王汝贤和范国璋仅以身免。本来想保住部队的王汝贤和范国璋，嘴说得好听，但腿不够快（都是山路，北方兵也不习惯），被惯于爬山走路的湘桂军，打得丢盔卸甲，结果部队基本上没了。

最后的结果是，傅良佐被一撸到底，受了刺激，躲到天津租界，得了精神病。而这两个"呼吁和平"的师长，部队没了都被撤职，一个不久就翘了，还有一个也从此退出江湖，北洋系再也没这个人了。

后来的历史学家，都说王、范两位"呼吁和平"背后是冯国璋指使的，说他们是直系的人，这从哪儿说起？当时冯国璋是总统，如果冯国璋有这样的意思，段祺瑞断然没法撤他们职。而且，撤职令，最终是冯国璋签署的。如果说冯国璋先授意后出卖，那么，这两人又不是哑巴，怎么从来没听他们说起自己的冤？最关键的，哪里有证据能证明这两位是直系的人呢？如果非要扯派系的话，说王汝贤是皖系的人倒更有道理，毕竟，他这个师长，是段祺瑞从别人手里抢来给他的。

段祺瑞收湖南，用人不当，真是赔了夫人又折兵。


## 蒋世杰守信阳


民国北洋时期的内战，自打第二次直奉战争以来，是越打越频繁，越打烈度越大。此前的内战，由于烈度比较低，打仗的时候，好事的老百姓还会搬着板凳去看热闹。但是到了后来，则枪林弹雨，炮声隆隆。飞机、大炮、坦克，甚至毒气弹都用上了。此前的战争，对民众的扰害，还是有限度的，但是，1924年年底之后，战区的民众，可就遭殃了。北洋时期有四位著名的守城将军：杨虎城守西安，傅作义守涿州，刘玉春守武昌，蒋世杰守信阳。四位都出在1924年以后，不是赶巧了，而是这阶段的仗打大了。

蒋世杰是国民二军的一个师长。所谓国民二军，是冯玉祥发动北京政变之后的产物，参与政变的冯玉祥、胡景翼和孙岳，成立国民军。冯部为国民一军，胡部为国民二军，孙部为国民三军。其中，国民二军占了河南。胡部是由陕西靖国军发展过来的，刀客的底子，所以，纪律不怎么样。挂个招牌叫国民军，一样扰害老百姓。所以，河南人都挺恨国民二军的，他们的红枪会，这一时期，主要对付的就是国民二军。

吴佩孚在第二次直奉战争中，输得只剩条内裤了。一路逃难，人人喊打，旧部都不买他的账了。还好，湖南的赵恒惕讲义气，收留了他。他还摆谱，带来的两千卫队，驻在岳州，但他自己却待在决川舰上，装着不领赵恒惕的情。

然而，过了不到一年，面对大肆扩张的奉军，长江沿线的大小军头们感觉要团结起来，一起抗争。抗击奉军，总得找个领头的。所以，此前人见人烦的吴佩孚，突然之间"行情看涨"，被旧部们拥戴为"十四省讨贼联军总司令"。

只是最初的时候，军头们心目中的"贼"，是张作霖和张宗昌们，然而，等到吴佩孚真的出山了，"贼"却变成了冯玉祥。因为吴佩孚最恨的不是张作霖，而是倒了他的戈的冯玉祥。他要先活捉了冯玉祥，然后再跟奉军算账。

大小军头们已经把他捧出来了，想要借他常胜将军的威名，也只能依他，走着看，到时候再劝他改道。反正不管打冯玉祥还是打奉军，人在湖北的吴佩孚，北上都得路过河南。于是，他派使节去开封，要国民二军让出一条道来。

此时的国民二军，胡景翼已经突发疾病死了，继承者是岳维峻。比起胡景翼来，岳维峻是个平庸之辈，但也知道这种假道，不过是假途灭虢，自己没准先就完了。所以，岳维峻死活不肯，命令信阳守军蒋世杰部死守。

岳维峻这个师，只有五千多人，还有一多半包括他自己都是大烟鬼。但是，守城还是有一套，早在吴佩孚大军到来之前，就在信阳城外修筑了众多的防御工事。号称十万大军的吴佩孚麾下的寇英杰部，仅仅扫清外围，就花了差不多半个月。好不容易打到信阳城下，只见城高沟深，费了九牛二虎之力，死活都攻不进去了。那时节的火炮威力有限，轰不塌城墙，而挖地道埋炸药，又一直没法得逞。信阳城不大，里面只有三万余居民，但富户存粮不少，守军一时半会儿不愁没有吃的。一直围攻了一个多月，进攻的一方死伤枕藉，就是没有进展。蒋世杰唯一的麻烦，是岳维峻给他派来了田维勤一个师的援军，没有打破围困，反而把两千多人逼进了城里，平白增加了守城的粮食负担。

然而，坚守快两个月的时候，蒋世杰的兵有点儿受不了了。别

第二章 大大小小那些人物

的几位守城名将，都是快弹尽粮绝了才守不住的，而信阳粮还有，弹药也没有用光，不想打了是因为别的事儿。信阳城不大，没有下水道系统，原来城里的粪便，都由城外的农民进城拉走，这下子将近四万人拉屎撒尿，这么多天下来，城里到处都是粪便，熏得人受不了，而且导致疾病流行，病倒的比战死的多多了。另外，更要紧的是，蒋世杰的兵尽是大烟鬼，快两个月了，大烟早断顿了。没有了鸦片，烟鬼们无论如何都无法忍受。

军心不稳，而且越来越不稳。实在撑不住了，没有办法，蒋世杰只能求和。他让城里的商会派代表跟寇英杰商量，能不能放他一条路，他把城让出来。寇英杰决定不了，把代表送到武昌去见吴佩孚。吴佩孚答应改编蒋世杰的部队，给蒋世杰一个参议。蒋世杰也只能答应，部队开出城外，接受改编，结果是全体官兵都被搜光了细软（守城的时候，这帮士兵把城里的富户都给抢了），缴了械，然后打发他们去陕西老家。蒋世杰倒是被拉到武汉，做了个空头参议。这个时候，国民二军在岳维峻的"英明领导"下，已经在镇嵩军和红枪会的打击下溃散了。

吴佩孚真是今不如昔了，北上第一步，让一个大烟鬼就给挡了将近两个月，自己没有兵，靠别人打仗，就是不行。值得提一句的是，此番攻城的府帅刘玉春，实际上是指挥攻城的主将，战后因功升官了。后来，守武昌的就是他，也成了一个守城名将。由于他对抗的是国民革命军，所以，城破之后，还被革命法庭判了罪，成为中国第一个犯反革命罪的人。

## 马桶将军不是个恶人

王怀庆在民国，人送外号王拉，或者马桶将军。因为此公有几分便秘的毛病，跟马桶亲。办公室常年备马桶，就喜欢坐在马桶上办公。反正那个时候来往的人里，也没有什么女眷。外出公干，一个漆金的马桶，是必须带的，一顶大轿坐他，另一顶抬着马桶。

不过，王怀庆不是个恶人。相反，待人接物，脾气蛮好。徐世昌做大总统后，由于王怀庆曾经在徐世昌东三省总督任上，做过徐世昌的中军，感觉不错，所以，把他调来做北京的步兵统领。这个步兵统领，是清朝的遗留，当年又称九门提督，是要由亲王做的。因为北京达官贵胄太多，一个顺天府尹管不了，于是另设一个带兵的衙门来震慑一下。但是，民国了，清朝的王公贵胄没了，达官却依旧很多，王怀庆做这个官，谁也得罪不起，送往迎来，伺候贵人，伺候得圆通八面。五四运动后半截儿他在步兵统领任上，对闹事的学生一直都客客气气。所以，皖系在台上，他做步兵统领，直系和奉系联合当家，他还是做这个官。到了直系一统天下，步兵统领改京师卫戍司令了，司令还是他。后人都说，他是直系将领，其实，他跟哪个派别的人关系都不错，能放一马，肯定放一马。

王怀庆做这个步兵统领，跟他的前任李长泰不同，他还兼着陆军第十三师的师长——无论他军衔升到多高，贵为陆军上将，这个师长他也不放。手里有了这个师，他的步兵统领或者叫卫戍司令，才做得踏实。步兵统领衙门，的确有一帮老爷兵，但这些老爷兵什么事儿都不顶。

其实，陆军第十三师也不顶什么。王怀庆是淮军的兵，聂士成的部下，带兵还是淮军那一套。只能用老粗，不肯用军官学生。不打不骂不升官，本是李鸿章的作风。李鸿章待他那些老粗部下，非打即骂，能打打骂骂的，才显得亲切。经常被训得像个孙子似的，一般来说，升迁都快。但是，王怀庆用这一套特别生硬，但凡看上了谁，要升他的官了，就故意找碴儿打骂一顿，如果对方帖然接受，第二天升职的命令就下来了。这种干法，部下早就熟悉了。所以，但凡哪个无缘无故挨打挨骂，都会服服帖帖，诺诺连声。出门，同事就会让他请客，因为明天人家就升官了。这样的军队，没有训练，现代化程度也低。都 20 世纪 20 年代了，别的军队，都讲究步炮配合，拉散兵线了，他们十三师，还是扛着大旗往上冲，被打下来，就一哄而散。

第二次直奉战争，吴佩孚用冯玉祥做第三路军司令，是用错人了，但用王怀庆做第二路军司令，也同样错。王怀庆碰到的是奉系的偏师张宗昌的部队。张宗昌自己的部队倒不怎么样，但是，他有一个几万人的白俄军团，可不是白给的。军事素养，比当年的北洋军可是强多了。所以，王怀庆加上毅军，被打得一败涂地。逼得没办法了，带着残兵躲到围场，给张作霖捎信，还说十三师可以让你接收，能不能保留他的京师卫戍司令。都到这个份上了，他对这个卫戍司令，还是这样的眷恋。显然，做这个京师的官儿，油水是太大了。

由于当年第一次直奉战争的时候，王怀庆对一败涂地的奉军多有照顾，所以，张作霖倒是乐意满足他的要求。可惜，第二次直奉战争之后，占领北京的是冯玉祥。冯玉祥可不买他这个账。虽然，前脚儿俩人同在北京直系帐下为官，倒也相敬如宾，但是，冯玉祥跟这个马桶将军，有笔旧账。

那是辛亥年，北洋第二十镇的若干小营长王金铭、施从云和冯玉祥，受革命思想影响，发动兵变。而二十镇的驻地滦州，就在王怀庆所部的边上。王怀庆奉命前去招抚，结果被王金铭他们扣押。他们要王怀庆跟着一起干。王怀庆假装同意，趁他们不备，抢了一匹马，逃了出来。结果，兵变遭到镇压，王金铭和施从云被处死，

第二章 大大小小那些人物

- 65 -

而冯玉祥因陆建章的缘故，得以免死被关了起来。按冯玉祥的说法，王怀庆欠着他战友的血债呢。

当然，冯玉祥在倒戈之后，忙于扩张势力，倒是没有急于跟王怀庆算这笔账。可是，王怀庆自打部队丢了之后，也没戏唱了。在北京的产业，基本上也都跟着丢了，在天津租界，坐吃山空，到了晚年，相当潦倒。

## 兽医张作霖

张作霖早年，出身贫寒人家，生活困苦，什么都干过。做过小贩，学过木匠，还做过兽医。他个子小，力气不大，木匠手艺估计没有学成，但兽医的本事，在当年就小有名气。

兽医是个跟医人的中医差不多同样历史悠久的行业，虽说干这行的属于下九流，但没这个行业，还真的不行。比起医人的医生来，兽医的效用，要好得多。但凡一个能站得住脚的兽医，十里八乡的牛马，都能得到医治。

在一个中世纪的农耕社会里，畜力是一种不可或缺的动力。所谓畜力，无非就是牛马。牛相对比较皮实，而马的病比较多。能医马的，才算是兽医中的高手。比较起来，马的作用要比牛更大些，不仅农家耕田拉车都离不开马，官家对马的依赖也更重，驿站和军队离开了马，几乎是不可想象的。

当年做兽医做出名气的，大抵凭两个东西。一个是经验，看看马的状况，掰开舌头瞧瞧，就知道得了什么病；第二个是手艺，得会掏结。马病十有八九，都是结症，即肠子被腐草塞住了，得由人把手伸进去，从直肠隔着两层肠壁，抓住结塞的部位，把结塞的东西捏碎。或者由另一只手配合，把它敲碎。这俩本事说说容易，办起来很难。张作霖的绝活，就是治马，俩本事他都有。

那年月，一个好兽医，都是一个懂马爱马的人。张作霖当然也不例外。有人分析过，张作霖的大帅府上，有很多的浮雕，主题都是马。虽说马也是很多吉祥图谱里的主角，但是有这么多马，还是不寻常。跟过他的人也曾说过，即便张作霖发迹了，爱马之心也非常的浓郁，有事没事，就往马厩溜溜，看着马，总要抚弄几下。如果马夫有了疏失，怠慢了他的骏马，他一眼就能看出来。当年做"胡子"的时候，他已经是个头目了，但兽医的本行并没有搁下。好多地方的胡匪头子，甚至官兵的马病了，都会来找他医病。就因为这个手艺，张作霖得以交结各路的朋友，好些官府的人，都因为这个，成了他的座上客。

最有意思的是，进入民国，张作霖做了二十七师的师长，在奉天，已经是数一数二的大人物了。二十七师招募兽医，他却要亲自做主考官。考试那天，他问的问题，让这些来应考的兽医，个个口服心服。进门之后，张作霖待这些兽医也格外好，经常来往。当年东北的"胡子"，人称马贼，骑马的多。张作霖的部队，由"胡子"招安而来，老传统当然保留，所以马队多，即使步兵，也有很多马。因此，部队是离不开兽医的，每个部队都有兽医，而兽医又跟张作霖有特殊的关系，因此，这些兽医就无形之中成了张作霖的耳目。通过跟兽医的闲聊，每个部队的动向，张作霖都掌握得一清二楚。

## 孙传芳投壶

投壶是一种西周贵族的娱乐活动。当年贵族的娱乐，往高大上了说，都有礼的意义，所以，也可以说是投壶之礼。有人说，此礼源于射礼，是贵族的成人礼，彼此比试射箭，看哪个本事大，后来这个本事不行了，就转为往酒壶里投，比较省力。显然这是不对的，西周贵族无论什么时候，六艺都是要讲究的，而投壶，跟武艺关系不大，就是一种玩法。至于玩的人是不是会寓教于乐，那就看他们自己的了。

按《大戴礼记》上讲，投壶是在招待宾客时举行，宾主分两队，每人四支没有箭头的箭杆，投中多者获胜，负者饮酒。从这点看，所谓的投壶，本质上就跟现在的猜拳相似，本是一种饮酒宴享时的游戏。如果非要将之解释成修身正己的一种形式，穿什么衣服，采取什么姿势，达到什么效果，说白了，都是后人的过度解读。当然，后世的儒家这样的过度解读，是一种惯性，不这样的话，自己的饭碗就显得不那么重要了。

当然，儒家的礼制，对于约束人的行为，使循规蹈矩成为一种习惯，无疑是有用的。但是，这种礼制一般体现在朝礼、官仪和人际礼仪上，经过长期的演练，耳濡目染，形成一种生活习惯，从身体到肌肉，都认可上下尊卑、官场等级秩序。至于投壶，则用处不大。越是强调其正身修身作用，规规矩矩，严严肃肃，一本正经，就越是没用。谁在喝酒享乐的时候，不去放纵一下，反而假装正经呢？所以，宋代以后，这种玩意儿渐渐就消失了。

民国之后，文化人的反传统和军头们的恢复传统，是两股迎头相撞的潮流。文化人越是激进，军人越是保守。反之，军人越是保守，文化人也就越激进。当然，这里说的文化人，只是一部分，那些文化保守主义者，不在其列，他们站在军人一边。

孙传芳是北洋的后起之秀，1925年底，他打跑了南下的奉军，江南五省归附，异军突起，变成屈指可数的大人物。尽有江南锦绣之地，孙大帅扛起的是"克己复礼"的大旗。当时，他以师事之者有两位，一个是兵学家蒋方震，一个是儒学大师章太炎。每月聘仪多达千元，但凡有点事儿，还会多给。那个时候的千元大洋，相当于现在的钞票百万元不止，可见执礼之殷。

师事蒋方震，是他的军人本色，但是，尊礼章太炎，却是为了恢复传统。但是，不像袁世凯恢复传统，实行祭天之礼，重新提倡尊孔。他孙传芳提倡的，是恢复投壶之礼。

孙传芳提倡的投壶，当然不是玩的，而是一种过于正经的仪式，为了让这桩早已被人淡忘的仪式再现，在章太炎的指导下，江苏的大同音乐会等团体，已经演练了多次。正式举行时，已经到了1926年的春天。第一次，在江苏督署的大厅里进行，各级官员和各省热衷此道的士绅们，云集于此。原本是要请章太炎来亲临指导的，但不知为何，章太炎本人没来，只派了一个代表。参加仪式的人，文官一律长袍马褂，武将则一身笔挺的戎装。所有人都正经地端坐在特意摆放好的"亚"字形的宴席桌旁，看着身着古装的礼乐生在古乐声中投壶。投壶者分成两队，一队四人，在司仪的喊礼声中，依次投壶。每投一次，行礼一回，互相揖让。胜负已经无所谓了，参与者感受的，就是这份正经和庄重。此番投壶之后，不久，又在乐山公园（即前江苏督军李纯修的公园）的英威阁大厅来了一次，第二次参加的人更多，声势更大。

孙传芳的投壶之礼，让进步的文化人感觉很搞笑，而且是在开历史倒车式的搞笑。作为章太炎的学生，鲁迅先生还撰文对老师参与投壶的行为感到遗憾，说他在"拉车屁股"。但是作为孙传芳，煞费苦心做这样的事情，还是有他的道理的。跟吴佩孚崛起的时候选择站在激进一边不同，孙传芳崛起后，选择了站在激进的对立面。因为他发现，吴佩孚的路没有走通。

他的路走通了吗？当然也没有。过不了多久，事实会告诉他，他的失败来得更快。儒家传统真是一种遗憾的文化，每每在人们需要的时候被拾起，拾起之后，又发现除了费钱费力之外，毫无用处。孙传芳提倡恢复古礼，但是，他自己连北洋系传统的打仗不杀战俘的规矩都不讲，将战败被俘的北洋老将施从滨一枪就给毙了。由此埋下了他下野之后，被施从滨女儿施剑翘暗杀的种子，比多数北洋人，下场都惨。

# 孙传芳心中的"义和团大师兄"

孙传芳是北洋军阀的后起之秀，跟吴佩孚和冯玉祥一样，都是北洋系的第二代，也都是小旅长出身。只是比较起来，他比吴佩孚和冯玉祥的履历都要好看得多。冯玉祥是大兵出身，吴佩孚也就是北洋系的军校毕业生，而孙传芳则是日本士官学校毕业，在当年，属于"海龟"。

跟其他的"海龟"同学相比，孙传芳是个能踏踏实实练兵带兵的人，因此，他的基本部队无论带到哪儿，都不会轻易散伙。曹锟、吴佩孚一统江湖之际，实际当家的吴佩孚，没有看上孙传芳，把他打发到福建山沟里去了。而孙传芳趁着江苏的齐燮元和浙江的卢永祥开战，从后面杀出来，占了浙江。第二次直奉战争，吴佩孚战败，但在浙江的孙传芳却站稳了脚跟，随后突袭南下的奉军，将大肆扩张的奉军打蒙了，受东南各省拥戴，成了"五省联军总司令"。

当北伐军进入湖南，跟东山再起的吴佩孚交锋的时候，孙传芳根本没当回事。能插手的时候也不插手，看着两下恶战，然后去捡便宜。可惜，吴佩孚此时已经是个纸老虎了，空有"十四省联军总司令"的名头，没有自己的嫡系部队，靠着别人替自己打仗，哪里有这样的好事？可是，纸老虎吴佩孚是当时名头最响的军头，他一败，等于替北伐军做了最佳的广告。一瞬间，大批的大小军头都换了旗帜，变成国民革命军了。等到孙传芳跟北伐军交手之时，他进退失据，接连犯错，最后一次大错，是把主力拉到江北，然后再渡江杀回来。由于海军的拦截，渡江过程中就有大损失，然后轻敌冒进，在龙潭大败。多年训练出来的看家基本部队，损失殆尽。

丧了元气的孙传芳，只好投靠他一向看不起的奉军。在张作霖的支持下，他虽然把部队补充了一些，但是，精气神儿已经没了。当年做"东南五省联军总司令"的孙传芳，还算是一个新派人物，能引进洋派学者丁文江管理上海，对自己的老学长、著名军事学家蒋方震言听计从。在浙江和江苏，都用了一批洋学生，参与地方管理，整理财政。甚至一度还拉起一帮学者，搞联省自治，制定省宪，选举省议会。在那时，孙传芳唯一不够时髦的举动，是不许美术学校用人体模特，惹得刘海粟很生气。

然而，精气神儿没了，孙传芳居然开始信神信鬼。吴佩孚信神信鬼，还只是占卜算卦，而孙传芳信神信鬼，则开始搞"义和团"了。

当年的河南、山东和安徽北部一带，兴起了红枪会。红枪会本质上，跟义和团一样，都是通过喝符念咒，请神附体，然后就说自己刀枪不入了。只是，当年的义和团，专门跟洋人和信洋教的中国人为难，红枪会基本上跟洋人洋教无涉，是对付军阀的。1924年以后，北方数省军阀混战愈演愈烈，把地方上祸害得不行。为了自保自救，农民们就练红枪会。红枪会虽说相信神术，但也不排斥新式的枪炮，大刀也用，枪炮也用。练的人多了，形成了气候，小规模的军阀部队，还真就不敢下乡滋扰了。甚至岳维峻国民二军这样大规模的部队，也会被河南红枪会搞得没有办法，最后在前面有截兵的情况下，居然溃散了。

孙传芳退到北方之后，见识了红枪会的威力。感觉像红枪会会众这样不怕死的精神，可以借来用用。于是，他请来了红枪会的老师，打算在每个师建一个"神机兵团"，模仿红枪会的样子，请老师教士兵喝符念咒练气功，变成"刀枪不入之体"，或者说，让士兵相信自己是刀枪不入的。为此，他还带了一个红枪会的老师，拎了一只大公鸡，到了上官云相做师长的这个师里，请老师在公鸡身上贴上符咒，然后自己拿着手提机关枪冲着公鸡开枪，结果一梭子子弹打完，鸡居然没有死。以此向士兵们说明，红枪会老师的符咒是可以避枪子的。

可惜，上官云相死活不信，坚决反对。没办法，他只好在直属的军官学校的直属队中，选了一些人组织了神机兵团，练习红枪会的神术。结果一上战场，该死的还是死。老师推脱，说是因为死伤的人前一天沾了女色，然后就开溜了。孙传芳的神术，也就算拉倒了。

像义和团、红枪会这样的招法，孙传芳这样的人，原本该是打死都不会信的。谁能想到重用科学家的孙传芳，后来会重用红枪会的老师？可是，到了病笃乱投医的时候，这样的分裂，居然真的出现了。这说明，其实很多中国人心里，都有一个"义和团的大师兄"。

## 讨人喜欢的段芝贵

北洋的要人，人们一提就是"北洋三杰"，其实在之外，跟三杰比肩甚至有所过之的，还有一位，这人就是段芝贵。段芝贵人称"小段"，以区别于段祺瑞，因为他比段祺瑞小几岁，而且是段祺瑞的学弟（同为北洋武备学堂的毕业生）。这位老兄跟段祺瑞一样，早早地就被袁世凯网罗，进了小站新军。

此公有什么本事，我们不知道，但袁世凯却超级喜欢他。所以，一路升迁甚速，在天津巡警道任上，已经开始巴望封疆大吏了。如果不是色贿庆亲王的公子商部尚书载振的事儿（收买了一个载振见了迈不动腿的女艺人杨翠喜送给载振），被政敌揭发，功亏一篑，此公就成了新建的黑龙江省的巡抚了。此事砸了，也多亏了袁世凯为之弥缝，得以平安无事。

进入民国之后，他官运亨通。袁世凯称帝的时候，少数几个一等公中，就有他一个。袁世凯死了，段祺瑞接掌政权，依旧爱他爱得不得了。张勋复辟，段祺瑞成立讨逆军，张罗的时候没有他，但偏用他做总司令。六万多讨逆军，对付两千多辫子军，不劳他指挥，这个仗也能打赢，打赢了，他就有一份大大的功劳。

更令人不可思议的是，直皖交恶，段祺瑞成立定国军对付吴佩孚，居然还是让段芝贵做总司令。这回的对手，可不是缺兵少将的张勋。此公会打仗吗？天知道。当年"二次革命"，讨伐革命党的主力之师，袁世凯也用段芝贵做指挥官，麾下的师长李纯不肯听他的指挥，自己打自己的。那一仗，算是整个"二次革命"中最大的恶仗，其实也没段芝贵什么事儿。至于讨伐张勋复辟，就更是儿戏。等于是说，虽然历史上有两场胜仗挂在他的名下，但明白人都知道，他什么都没做。

直皖大战，是北洋历史上一件转折性的大事，标志着北洋团体从此走向分裂。对于这个局面，段祺瑞当然并不乐见。此前吴佩孚种种犯上作乱，他都忍了。直到吴佩孚悍然率兵违令北撤，他也没有认真对待，只是让河南督军赵倜把吴佩孚截住，又派自己的妻舅吴光新抄后路。如果早早派兵把直系的老巢保定拿下，这个仗的结果真就不好说了。待到双方剑拔弩张，看看要打了，才匆忙调兵，派了这个小段做总司令。

小段也没有把此仗太当回事。但是，他自己知道，论打仗他是不行的，多少年都不摸枪了，于是推荐了皖系的另一员大将曲同丰做前敌总指挥，替自己实际操作。曲同丰的军事理论素养还算不错，多年在军校做教官，是吴佩孚的老师，但也是纸上谈兵，没有真干过。

段芝贵把自己的司令部设在一列火车上，自己在一个头等车厢跟幕僚打麻将，其他的车辆载着卫队还有大量的洋酒、火腿、板鸭等好吃好喝的东西，把自己府里的厨师，也带到了车上，专门给他做饭。小段非这个厨师做的饭，是不肯下咽的。小段还有一个毛病，每天都要换几身衣服，上战场了，也是不改。所以有副官数人，专门负责这个事儿，车上还装了他的专用衣柜。后来有人传说，他把八大胡同的妓女也带上了车，但据当时他的身边人讲，这倒是没有。

战事一起，他就在车上打麻将，还一直抱怨，张作霖前几日跟他推牌九，输了四十万，结果只给了四十万的公债券，连半数都不到，说张作霖抠门，不够朋友。他绝没有想到，这个张作霖，不够朋友还不限于此，居然在背后捅刀子，让战败的皖军腹背受敌。

然而，久经战阵的吴佩孚的确不白给。仗打了没几天，曲同丰的前敌指挥部就被吴佩孚亲自带兵给抄了。曲同丰做了俘虏，前线的兵稀里哗啦就乱了。枪打到段芝贵的专列附近，车上牌局未了，段芝贵吓得钻到牌桌底下，一个劲儿叫：不要乱打枪，不要乱打枪！看看枪声越来越密，不是好玩的，就赶紧让卫队上车，专车急速后退。过琉璃河大桥的时候，桥上有许多溃兵，他也不顾了，碾压着就过去了，一直退到良乡。然后再退长辛店，脚没沾地，就回北京了。其实，直军大部队还没有上来，总司令一走，皖军就垮了。最后，段芝贵一溜烟儿躲到天津租界，打死都不露面了。

用错人的段祺瑞倒是没走，就待在他府学胡同的家里。直皖交恶，直系的人恨的是"小扇子"徐树铮，对段祺瑞倒是还客气。吴佩孚是他的学生，当然也不会把他怎么样。只要他下野不干了，也就算完了。段祺瑞在民国，还算一流的政治家，政治眼光独特，但就是不善于用人。此前如果不用一个饭桶将军张敬尧做湖南督军，也不至于这么快就得罪了打下湖南立了大功的吴佩孚。此后，如果不用另一个饭桶将军段芝贵，皖军也败得不会这样惨。

袁世凯和段祺瑞，都是能干的强人，但强人也有一个惯有的毛病——喜欢用讨人喜欢的人。段芝贵这样的人，八面玲珑，脾气超好，上司见到的是听话，平级见到的是讨喜，下级见到的是宽厚。唯一的缺点，就是百无一用。可是，偏偏这样的人，讨强人上司的喜欢。

关键时刻掉链子，怎么办？活该呗。


## 屠夫陆建章


在北洋历史上，陆建章算不上是大人物，但时不时地会冒出来，露上一小手。此人是小站旧人，跟段祺瑞资格相若，也深受袁世凯的赏识。只是官阶总比段祺瑞矮一点儿，有性格，而且有嗜好（鸦片瘾），虽是安徽同乡，段祺瑞看不上他，两人早早就结下梁子。

但是，陆建章还是有点儿本事的。当年，山东曹州是个出土匪的地方，有一阵儿匪患又大发了。袁世凯派陆建章带一协（旅）人马去剿，陆建章还真的就让当地太平了些日子。所谓的剿匪，就是杀人，做匪的杀，疑似做匪的也杀，杀狠了，也就消停了。不过曹州这个地方，当年毓贤也是这样剿了的，过后，匪炽如故。多匪的地方，如果不做根本治理，匪就像韭菜，割了一茬还有一茬。陆建章也就是割了一茬，还捎带着伤及好些无辜。

民国了，袁世凯做了大总统，让陆建章做执法营务处长。当年的官阶，跟今天不一样，他的这个处长，跟警察总监和步兵统领平级，等于是袁世凯的特务头子，干的就是抓人杀人的买卖。袁世凯跟革命党闹翻，革命党死在他手上的可是不少。武昌起义元勋张振武，就是他给杀的。当然，这事首先要怪黎元洪。张振武进京，黎元洪密报袁世凯，说这人想要作乱，杀了算了。袁世凯原本就对起义者没好印象，就命令陆建章办了张振武。张振武住在六国饭店，没法进去拿人，陆建章就派便衣在门口死等，等张振武出来，拿下就给毙了。那时的国民党人，人人都恨陆建章。只是，陆建章对付章太炎却客气得紧。"章疯子"砸了总统的接待室，陆建章把他软禁起来，每月五百大洋，派了一堆警察伺候。"章疯子"对警察非打即骂，还逼得警察管他叫老爷，陆建章都随他。在他眼里，这个人是民国的郑康成，有学问，不能按寻常的党人看待。

又一次剿匪的差事，让他做了陕西将军。白朗这股悍匪流窜数省，袁世凯花费巨资，投入数万兵力，也没有剿灭。最后白朗虽说不是死在陆建章手里，但他的确出力不少。他所偏爱的冯玉祥，也就是在剿白朗过程中升任第十六混成旅的旅长，陆建章还把自己的内侄女嫁给了他。陕西是革命党加刀客的大本营，辛亥革命之后，这些人都变成了官军。陆建章狠，先用这些人剿匪，等白朗灭了，再把这些人都给遣散了，只剩下了陈树藩一支，还是因为此人善于拍马，显得特别恭顺。

然而，洪宪帝制令讨袁战事再起，天下将乱，陕西原来的革命党加刀客死灰复燃，陈树藩见有机可乘，兴兵讨袁。陆建章派自己的长子陆承武带一旅前去应敌。没想到，这个纨绔子居然被只有一营兵力的胡景翼来了个偷袭，部队散了，自己也做了俘虏。

陆建章舍不得儿子，在陈树藩和胡景翼的武力压迫和绑了人质的要挟之下，让出了陕西将军，带上被放回的儿子走人。由于行李太多，遭刀客的忌，道上还被劫了。这事儿，当年经媒体报道，闹得沸沸扬扬。全中国的人都知道，陆建章做陕西将军，捞了不少钱。

捞了不少钱的陆建章，实际上落空了。但毕竟多年宦海，积蓄还是有的。从此以后，没了地盘，又没了军队的陆建章，只能在将军府做空头的将军。只是他不甘寂寞，但凡国家有事，就会溜达出来凑热闹。

张勋复辟的时候，他出来了。那是由于冯玉祥那个旅驻在廊坊，段祺瑞组织讨逆军，要用这个旅。而此前段派的大将陆军次长傅良佐把人家给撤职了，但新派进去的旅长，由于官兵反对，又到不了任。这回只能请冯玉祥重任旅长，这需要请陆建章出面。然而，张勋失败之后，陆建章没捞到什么正经的职位，这下可把段祺瑞恨结实了，此后，专门给段祺瑞捣乱。

1918 年，段祺瑞派冯玉祥旅南下作战，在陆建章的挑唆下，冯玉祥走到武穴，居然通电和平，不肯走了。事情最后虽说在曹锟的调和下得到了解决，但段祺瑞的鼻子都给气歪了（段有这个毛病）。而段的谋士徐树铮，更是气得火冒三丈，黑下心来，要杀陆建章。可是陆建章还觉得自己做事机密，人家不知道。结果被"小徐"骗到了他的司令部，背后一枪，就给了了账。

当然，陆建章自己不知，他的死，却给仇敌段祺瑞和"小徐"带来了很大的麻烦。毕竟，北洋规矩，小辈得礼让老辈，而且，即使开仗，也轻易不伤害对方的身体和家人。"小徐"坏了规矩，让众人寒心。在直皖之争中，皖系不得人心，此事影响最大。

# 杜月笙的另一面

眼下，对杜月笙的评价是越来越高了。上海滩上的青帮，最高等级的被称为"闻人"，够得上闻人的只有三位，黄金荣、杜月笙和张啸林。其中，杜月笙其实堪称闻人中的闻人，宝塔尖上人物。当年杜老板过生日，排场之大，超过民国任何一个人，就是袁世凯和蒋介石也没法跟他比。真叫个党政军民齐动员，工农兵学商，一起来祝寿，还有在上海的外国人，也都来凑趣。不消说，杜月笙的面子，在当年的中国是最大的。

杜月笙手面之大，无与伦比。上海乃至全国，几乎没有他摆不平的事儿。无论事情发生在哪个角落，只要他一纸二寸宽的条子，任你是军阀、土匪、袍哥，三教九流都会买他的账。上海几乎所有像样的学校，他都是校董，所有的慈善事业，他都参与。杜老板的堂会，全国的名伶都会排着队来捧场，即使白唱，也心甘情愿。

上海的老板都跟他关系好，哪怕你是留学欧美的洋派人物，谁都可以不甩，杜老板的面子是一定要给的。有了杜老板的关系，哪怕再难的事儿，也不是事儿了。上海的穷人最崇拜的人，就是杜老板，因为只有杜老板，才会在过年的时候给他们撒钱。工人罢工，无论在北洋时代，还是国民党时代，都是靠杜老板的接济，没杜老板做后台，没有一次罢工能撑下来。当然，最终劳资双方能坐下来谈，也得靠杜老板调停。

有人说，杜月笙是把一个义气的"义"字，做到极致的人。民国期间，上至政坛大佬，下至孤儿寡母，受过他接济的人不可胜数。眼高于顶，无视袁世凯和蒋介石的章太炎，一生唯——次给人写的马屁文章，送给的就是杜月笙。因此，青帮大佬杜月笙，无论是里子还是面子，似乎都是一个好人。

但是，青帮毕竟是青帮，尽管杜老板一直在刷洗自己，做了越来越多的白道生意，甚至把自己的帮伙改成恒社，弟子称为社员。但他依旧是青帮老大，手下的这帮子人，还是没有被洗白，也洗不白。这其中最大的问题，是贩毒。

当年上海的毒业，主要是贩卖鸦片。进入国民党时代之后，上海的烟土行依旧有将近二百家，被称为"特业"。而特业的组织特业公会，领袖人物就是杜月笙。从北洋到国民党时期，杜月笙尽管白道的生意越做越大，却从来没有撒手特业，毕竟，整个上海滩的白道生意加起来也抵不上特业的一个角。因为，当年的上海在全国的鸦片销售中，居于龙头地位。单单上海一地的鸦片税收，就可以养几十个师。杜月笙的关系网巨大，鸦片一项，深入云贵川，西南的军阀和袍哥，都在为他打工。在国民党统治之初，由于需要跟各个大号的军阀争胜，蒋介石也需要鸦片的收入补充军费，所以一直对这个老相识的生意，睁一只眼闭一只眼。但是，随着蒋介石统治的稳固，他开始需要清理鸦片了。不仅仅是为了面子上好看，而且也是为了正常的经济发展的需要。

1936 年，也就是国民党黄金十年的顶峰时刻，原来做过蒋介石侍从副官的蔡劲军被派到上海担任警察局长。蔡劲军一上任，就摆出一个跟此前所有上海要员不一样的架势，不再接受特业公会的任何好处，拉开架势，准备拿特业开刀。

当时，上海的要员从市长吴铁城到警备司令杨虎都拿杜月笙的好处，连他们下面的喽啰，也定期接受特业公会的补贴，这种补贴，远远超过他们的工资。至于在南京的政府要员，接受杜月笙招待的也如过江之鲫。的确，国民党一统天下之后，杜月笙的毒品生意做得比北洋时期大了，但付出的代价，也更多了。由于考虑到蒋介石需要鸦片的收入，所以精明如杜月笙，也一直觉得没有必要放手这块肥肉。然而，这一回，他看错了。

上海警察局长蔡劲军上任几个月之后，突然采取行动，搜查上海滩所有的烟馆，将烟馆的老板几乎一网打尽，全都抓了起来。这让杜老板感到十分没有面子。一来，他一直向这些烟馆老板拍胸脯，说有他在，一切尽在掌握中，不会有事的；二来，就算警察要行动，他也会事先知道，早做安排。然而这一回，全部落空了。

虽然事情发生之后，杜月笙动用了他全部的资源，通过警备司令杨虎的关系，把这些烟馆老板都给放了，但是，经此打击，杜老板觉得天可能真是要变了。这个生意，看来是没法做了。尽管如此，真正放手，还是到了抗战爆发以后。

上海的特业告诉我们，杜月笙的确救了好些的人，但是，他害的人也一样不少。

# 第三章
# 林林总总都是套路

# 当兵要做文秀才

晚清自打洋务运动起，中国有了洋学堂，也开始把人往国外送。但是，无论洋学堂的学生还是留学生，虽说在当年的中国都是特别宝贝的稀缺人才。但是从官场到民间，却没有人把他们当回事——尽管你也是读书人，但读的是洋书，就不作数，毕了业，没有人当你是士绅。明白人知道高头讲章没有用，八股文章是垃圾，但是积习日久，真是难改。

所以，这些喝了洋墨水的人，要想争得人们的尊敬，唯一的办法是参加科考，挣个功名。像严复这样的，回国职位好，薪水多，可以捐一个监生，直接参加举人考试。如果薪水不足够多，那就只好从秀才考起。周树人、周作人兄弟，在江南水师学堂读书期间，冯国璋在北洋武备学堂学习期间，都参加过秀才考试。据周作人回忆，他们学校对学生参加考试一律开绿灯，如果有人中了，还挂牌表示褒奖。周树人、周作人兄弟，考了半截，中途而废，而冯国璋则考中了。当年的北洋武备学堂，是李鸿章的事业，李鸿章听说他的武学生考上了文秀才，还挺吃惊，从此对冯国璋有了印象。

李鸿章死后，轮到袁世凯来办武备学堂了——北洋速成武备学堂，由袁氏麾下的大将冯国璋来主持。这个时候，朝廷的新政已经开始，新学堂的事业已经今非昔比，大有蓬勃之势。然而，从官府到民间，对于旧式的功名还是相当看重。进了官办学堂的学生，拿着官府的津贴，心里却想着科举。

1904 年最后一次科举，绝大多数地区，三级考试如期进行。但在当时，虽然废科举的呼声挺响，但朝廷会不会废，还在未定之天。更多的意见，其实是改良科举。说它是最后一次，其实是从后来看的。所以，这一次的科举只是废除了八股，改考策论。考策论，内容也趋向于新政，只要你能把文字写通，再懂一些所谓的新知识，考中的概率相当大。

显然，这样的科举，对于在新学堂学过或者正在学的学生来说，是个好机会，只要把学堂和洋书本里看到的东西照本宣科卖弄一下，就不难唬住考官。所以这一年，冯国璋做总办的北洋速成武备学堂的学生，在暑假期间好些都跑去参加秀才考试，居然有十余人被录取，录取之后，马上赶回学堂，即使迟到也耽误不了太久。可是，这些秀才老爷得中之后，亲友恭贺，办酒应酬，高兴大了劲儿，一来二去，等回到学堂，已经开学半个月了。

冯国璋把这些人统统挂牌处分，各记大过一次。众秀才不服，因为其他的学堂考中秀才都挂牌奖励。冯国璋召集这些人开会，对他们说，你们知道为何要被处分吗？因为你们不遵守学堂的规矩，一下子就超期半个月，如果人人都这样，学堂还能办吗？秀才们闷了半晌，突然有人站出来说道：这次我们做武备生回家考试进学被记了一大过，不知道总办当年进学是不是也记了一大过？众秀才哄堂大笑，冯国璋也跟着笑了，然后就没事了。

其实，冯国璋考的秀才，跟后来他的学生们考的秀才，在当年的中国，含金量是不一样的。前者叫八股秀才，非用苦功夫不能得；后者叫策略秀才，只要能吹、敢吹，就能糊弄下来。曾经代理北大校长的蒋梦麟和曾经的北大文科学长陈独秀第一次见面，说起他们都是秀才，但蒋梦麟是策略秀才，陈独秀是八股秀才。陈独秀当即说，你的秀才不值钱，蒋梦麟也只好尊陈独秀为前辈。

就此而言，科举是非废不可，不废的话，有科举的魅影在，新学堂永远都别想办好。先进人士提倡的习武之风，弃文从武行动，也永远都落实不了。武学堂的学生，一门心思老是惦记着考文秀才，还能学明白武学吗？

# 这样的禁烟局

鸦片流毒中国，当然始于英国人。此前的鸦片，在中国只是作为一味中药存在的。英国人向中国贩鸦片，正巧清廷在禁烟草，有人就把鸦片当烟来吸，于是吸烟变成了吸鸦片，由此一发不可收拾。到了清末新政时期，朝廷振作，开始认真禁烟，跟国际社会承诺，在一定期限内完全禁绝鸦片。由此，鸦片的种植，由官方的纵容默许变成严厉禁查。尽管遭遇了烟农和烟贩的激烈抵抗，但新政的禁烟，还是卓有成效的。

鼎革之后，政府对鸦片种植贩卖的控制有所松弛，但在袁世凯在任期间，情况还好。大概只有辫帅张勋所在的徐州，会由官方纵容偷种鸦片。其他的省份，至少官府还是要禁查的。然而袁世凯死后，北京政府政令不出都门，各地军头们就各自为政了。很多贫瘠的地方，出于养兵的需要，开始有意放纵鸦片，或种植，或过境，或贩卖。西南天高皇帝远，鸦片质量又好，很快泛滥成灾。而北边的热河，一直是一个鸡肋一样的死角，谁也不乐意管它，虽说鸦片的质量不若西南远矣，却种烟成风，很快就成了鸦片的大宗输出地。热河烟土，人称"北口货"，跟口蘑似的，在华北一带相当有名。

1924年底，奉军打败直军进关之后，热河成了奉军的领地。哪个奉系的军头控制直隶，哪个就能管到热河。开始是李景林，后来是褚玉璞，都插手烟土事业。只是这个时候，在国际上，禁毒已经成为一个事业，公然贩毒，即使是军头们也不大好意思。所以，各地都纷纷成立禁烟局，对外表示，他们也在禁烟。

只是当年中国的禁烟局，除了个别地方，一般都不是管禁烟的。就像热销热河烟土的直隶，禁烟局机构庞大，不仅有众多的机关工作人员，而且还有武装巡查队，各县都设有支局。名义上，禁烟局管禁种、禁运、禁售、禁吸。但实际上，这个局的使命是把种、运、售、吸合法化。只要给他们付费，通过纳税、贴花、登记、发照，就可以公开吸毒贩毒了。

在禁烟局治下，所有产地的烟土，必须纳税、贴花才能销售，入口过境的烟土，必须有入口过境支局的贴花领照才能通行，各种烟土店，必须领禁烟局的执照才能经营，烟管必须领开灯（烟灯）证，才能经营。甚至一度规定，烟民必须领吸烟证才能吸食鸦片。

这样的禁烟局，实际上就是"纵烟局"，他们管的不是禁烟，而是把烟土产销吸食一条龙都纳入官方的系统，让烟土为当家的军头牟利。凡是不肯领执照、纳税的，才会被禁烟局打击。当然，是以贩毒和吸毒罪进行打击，被拿了，如果没有钱赎买的话，真的就会被枪毙的。

这样的禁烟，当然是越禁越多。一度，天津大小烟馆在马路上到处都是，连妓院也申领开灯证，变成花烟馆。受害的不只是老百姓，连奉军也跟着烂了。原来奉军的鸦片鬼不多，但到了这一阶段，连少帅张学良都成了大烟鬼。

挂羊头卖狗肉的事儿，官府如果真的干了，这个事儿本身，其实比烟毒的泛滥还要可怕。原来势头很猛的奉系，彻底丧失信誉，跟禁烟局有很大的干系。北洋的历史，句号画在奉系身上，是有道理的。

## 民国初年广州的革命街景

辛亥革命，广州是和平光复的。但和平光复的广州，由于是以孙中山为首的众多革命党人的故乡，所以，被认为是最革命的地方。革命的地方盛产革命党，武装的同志，是各地的民军。其实，已经光复了广州，是不需要这么多民军的，但是，各地的乡巴佬都想借革命之机，到广州来玩玩，于是，就都来了。所以，广州的街上，最奇特的景观，是穿着各种服饰，拿着各种武器，包括鸟枪和长矛的民军。当然，每个人的头上都没了辫子，头发披散着垂在肩上，跟后来的摇滚青年似的。在清帝退位之前，还有一些全身披挂的女子北伐队员，在市面上招摇。经记者拍了照片，登在报纸上。

民军中最神气的，是身上挂着炸弹的革命先锋。最初来的当然可能真的是革命党，而炸弹当年是革命党威慑满族人的利器，凡是挂炸弹的人，都是当然的革命先锋。但是，这种神气是可以效法的，好些市井之徒，也学会了这招儿，弄些洋罐头盒子，包上白布冒充炸弹，动辄挂上好几个，招摇过市，看上去，跟真的革命党也没有什么两样。时间长一点儿，凡是挂出来的炸弹，就没有几个是真的了。

革命后的各种党派和团体，风起云涌一般冒了出来。当年北京一个小胡同里，能有好几个党，而广州也差不多。每个党派团体，都有自己的徽章，有钱的可以做金银徽章，就像鲁迅《阿Q正传》里秀才领来的"银桃子"；没有钱的，则是铁制的徽章。但凡有点名气的人的胸前，可以佩戴若干徽章，成为"跨党要员"。这一点跟北京相似，好多人都跨好几个党。以至于议会选举完了，各党统计的当选人数，大大超过国会两院的总人数。跨党人士，每个党都统计一次，结果就重了。

除了徽章，还有绶带。一个大红的绶带斜披在肩上，开会的时候当然很神气，但是开完会了还披着未免多有不便。于是就改成了襟章，襟章是绶带的缩小版，四寸来长，一寸多宽，也跟绶带一样，是绸缎的，可以像徽章一样戴在胸前，但由于比徽章大，所以可以写好些字在上面，详细地表明佩戴者的身份，所在党派或者团体的名称，个人在党和团体里的身份、职务、号码、姓名等。相当于今天把名牌挂在了胸前，让人一望便知。

革命前的广州，人们是不大开会的，大多数人，根本不懂开会是怎么回事。革命后，革命的人们最热衷的一件事，就是开会，开大会。但是，那时候会演讲的人不多，即使是头面人物登台上去，多半像呆木头一样站着，非要讲话，也是词不达意，胡说一通，再不就是"这个""那个"地说车轱辘废话，半天不知道说什么。但是，开会必须有人捧场，必须制造气氛。所以但凡开会，就会有人举着写有"请众鼓掌"的牌子，在人家登台开讲和讲完之时，及时地面向听众举起来，然后大家知趣地拼命鼓掌。这样几次三番，受到鼓励的演讲者，慢慢地也会讲点儿话了。

革命后的广州，革命热情是高涨的，但是，革命后的社会秩序，却越来越乱。各色的革命者、假革命者、冒充革命者，都在吃革命的饭，砸革命的锅，弄得广东的财政一团糟，还会为了锅里的饭，争抢不已。民军的纪律，已越发不像话了。于是，广州的绅商和老百姓越来越不爽。难怪拥有众多民军，而且两个都督胡汉民和陈炯明都是老牌革命党的广州，在"二次革命"的时候，几乎兵不血刃，就被袁世凯派去的龙济光给拿下了。

革命的热闹，造就不了革命的事业。

# 洪宪帝制中的徐世昌逻辑

在晚清的高官之中，徐世昌与袁世凯是关系最深的一对。说他们是生死弟兄有点儿不确切，但他们俩的确彼此难分。如果没有袁世凯，徐世昌的飞黄腾达几乎是不可能的，而没有了徐世昌的襄助，袁世凯的事业也未必会有那么兴旺。有意思的是，袁徐关系在那儿明摆着呢，摄政王载沣开掉袁世凯之后，却重用徐世昌。为人诟病的皇族内阁，唯一的汉人协理大臣（副总理大臣）就是徐世昌。单就这点看，载沣开掉袁世凯，不过是想从这个汉人能臣手里夺权，根本不是像当时有些人想的那样，是为了给他哥哥光绪报仇。而武昌起义之后袁世凯重新出山，徐世昌则起了不可或缺的居中调和的作用。当然，调和到了最后，是摄政王被荣休，袁世凯当家。

鼎革之后，袁世凯做了大总统，而徐世昌在德国人占的青岛做了遗老。在众多遗老遗少之中，徐世昌的官阶是最高的，无人能及，位列太子太傅、协办大学士、内阁总理副大臣。在徐世昌的亲弟弟徐世光看来，只要民国还在，哥哥这个遗老是做定了的，否则，实在对不起清朝的皇帝。

然而在民国二年，袁世凯扫荡了"二次革命"的国民党，做稳了大总统之后，派人到青岛请徐世昌出山了。出山做什么呢？国务卿。这国务卿跟美国那个不一样，是从内阁总理转过来的。但是这么一转，国务卿就不再是总理内阁的负责人，而是成了总统的幕僚头目，有几分类似清朝军机处的首席军机大臣。

徐世昌居然动心了，准备上车就道。这下子徐世光不干了，横挡竖拦，哭天抹泪地劝了好几天，搬出来孔夫子，搬出来徐家的祖宗，都给他跪下了。可是徐世昌不为所动，该走还是走。临行那天夜里，徐世光苦劝了一夜，他哭，徐世昌也哭，哥儿俩哭够了，哥哥上路，丢下弟弟仰天长叹。

徐世昌的说辞，是说他去帮忙，老朋友了，这个忙不帮说不过去。但骨子里，大家都明白，还是想做官。徐世昌自号水竹邨人，但绝对不想做村人，热衷得紧。袁世凯也知趣，不仅给老朋友足够的礼遇，每天一起吃饭，而且把所有的官员分成上卿、中卿、下卿，位列上卿的，仅徐世昌一人，让老朋友切切实实过一把官瘾，比当年在清朝官还大，真正的一人之下，万人之上。到了这个时候，在青岛的一班儿遗老遗少们，口风又有点变，觉得徐世昌这个忙帮得不错，看样子，袁世凯是打算还政于清，要不干吗又是国务卿，又是上卿的，分明是要复古嘛。复古干吗呢？复辟呗。

然而，遗老们空欢喜一场，到头来，原来是袁世凯自己要做皇帝了。这时候的徐世昌开始打退堂鼓，一个劲儿地溜边儿，不出主意，不建策，什么话也不说。不像袁世凯另一个老朋友严修，拼命地出头反对。当袁世凯主意已定，封徐世昌为"嵩山四友"，可以永远不对袁世凯称臣时，他私下嘟囔了一句：所谓"嵩山四友"，就是永不叙用而已。然后请假回了河南，真正做他的水竹邨人去了，不久，洪宪帝制成，他一封辞呈递给了老朋友洪宪皇帝袁世凯。

有人说，他不赞同袁世凯做皇帝，是因为这样一来断了他日后做总统的路，其实猜得不对。他和袁世凯年纪相若，袁世凯一直身体都不错，怎么可能指望接班呢？而且，人们对段祺瑞、冯国璋不赞同帝制都做同样的推测，哪里可能有三人都打一种主意的道理？虽说民国告成，袁世凯做了总统，在很多遗老眼里他已经成了篡位者，但徐世昌不这么看，因为那是民意的选择。体制变了，民国不是另一个朝代，所以谈不上改朝换代。别人不讲，对于徐世昌来说，帝制和共和孰优孰劣不说，若要帝制，也应该是清朝的帝制，袁世凯就是来做总统的。若是觉得共和不适合中国，那么，还政于清就是了。如果非要自己做皇帝，那么老朋友就真的成了乱臣贼子，图谋篡位的曹操和司马昭。既然如此，他徐世昌官瘾再大，这个忙也不能再帮了。再帮下去，徐世昌就等于是篡位者的帮凶，那可真就无颜见大清的列祖列宗包括现在的小皇帝了。他念兹了一辈子的君臣大义，可就无论如何也说不过去了。

有徐世昌逻辑的，在当时的精英中还真有这么一批，特别是那些做过前清官员的现任官员们。依照这个逻辑，袁世凯称帝，他们是不赞同的。虽不至于出头反对，但暗中撤火，也够袁世凯受的。

最后，袁世凯在一片的反对声中得了重病，堪堪要死之际，徐世昌还是来了，帮助袁世凯稳定时局，安排后事。老朋友，毕竟是老朋友，君臣大义要讲，朋友之道也要讲。这也是徐世昌的逻辑。

## 曹三傻子的绝技

曹三傻子就是曹锟，三傻子是因为他行三，人傻憨傻憨的，得的外号。曹三傻子在投军之前，做过布贩子，推着小车走乡串街，好不辛苦。其实，曹家也是买卖人，没有穷到非得让孩子干这个的地步，读书上进，才是正事。只是曹锟从小有把子力气，读书没感觉，倒对习武兴头蛮大，对公案小说里的黄天霸、窦尔敦什么的，迷得不行。不想在家里被嫌弃，就谋个自食其力了。

做布贩子的经历，让他交了一帮三教九流的朋友，但是养家糊口还是不中。于是，曹锟就投军了，机缘巧合，进了北洋武备学堂。曹锟虽然不喜欢读书，但这事跟前程有关，咬牙忍下来了。之后袁世凯小站练兵，把当年北洋武备学堂的毕业生划拉来不少，曹锟也在其列，成为北洋小站旧人，由此发迹。

曹锟做将军之后，经常会露两手绝活儿。一次，师部军需处需要自己买布料做冬装，量布的时候谁也量不好，不仅太慢，而且量不准。曹锟见了，说你们躲开，看我的。一上手，只见手尺飞舞，一会儿一大捆布就量完了。在场的人瞠目结舌，半天没缓过味儿来。

还有一次，曹锟的第三师在湖南剿匪，湖南山路多，运送给养不方便，只好用独轮车。进了一大批独轮车，士兵们大多不会推这东西，东倒西歪。曹锟又出手了，说看我的。推上小车，扭着屁股就上山下山，如履平地。士兵们跟着他学，不多会儿，就都会了。

不用说，这两手都是曹锟当年做布贩子的看家本事。但是，曹锟真正的看家本事，其实不是卖布，而是做傻子。

曹锟虽说也是军校毕业，但文化水平实在不高，提起写字，他唯一可以拿出来说的，是可以写一笔"虎"字，一气呵成，首尾相连。别的，就什么都谈不上了，读书论文就别说了，就是军事知识，也所知无几。当年的北洋军，有的部队还经常搞点儿军事教育，但第三师却没有这个。只有吴佩孚接手之后，才有点儿学习的内容，但也主要是军事训练。

在那个时代，一个人没有文化水平，也没有显赫的门第，是会让人看不起的。在军队也是如此。但是，曹锟却一路走来要风得风要雨得雨，还没进民国，就已经做到第三镇的统制了。那个时候，举国上下也不过二十几个师（当时叫镇），做了师长，而且是最精锐的北洋六镇的师长，已经了不得了。

曹锟靠什么？靠的就是这个傻劲儿。为人厚道，肯吃亏，人家觉得他傻，他就"倚傻卖傻"。别人不乐意干的，他干，别人占他的便宜，他认。吃了亏只当占便宜，不艾不怨。这样的人，领导喜欢，同僚喜欢，下属也喜欢。加之长得憨憨厚厚，面面团团，一副讨喜的福相，见人就笑，笑得憨憨的。虽然净吃亏，最后发现，他占的便宜最大。

北洋系的军头不少，但是，能像曹锟这样憨厚的人并不多见。他跟部下可以打打骂骂，部下犯了错，只要不是不可饶恕的，一般都可以放一马。"讨袁战争"时，他率部在四川跟讨袁军打仗。四川将军陈宧，进川之前恨不得舔袁世凯的靴子，但进川之后，却选择跟袁世凯断绝个人关系。曹锟是袁世凯的爱将，当然会很生气。但陈宧混不下去了，找到曹锟，让曹锟带他出川，他依然答应了。部下大将王承斌，在1924年冯玉祥发动北京政变时，参与其事，背叛了他。曹锟下野之后，在天津租界闲住。王承斌来看他，周围的人都铁青着脸，但曹锟却跟没事一样，照样寒暄。

曹锟作为一个军头，在练兵、打仗方面，一无可取；作为政治家，不会治国，道德操守也没有什么可以称道的；想做总统，居然幼稚到去贿选。但是麾下的战将，如吴佩孚、冯玉祥、王承斌，都是一时之选。所谓的直系，只有在他的名下才真正像个样子。而冯国璋时代，就是银样镴枪头，一个样子货。

简而言之，曹三傻子能混成曹大总统，其实最大的本事，就是他这个傻劲儿，能拢这么多人乐意在他名下打拼。

当然，成也是傻，败也是傻，做大了，做到总统了，还仅仅有那么点儿憨厚，装傻似傻的劲头，就远远不够了。


## 政客"小孙"政坛的闪光时刻


民国人物每每成对出现，有老段（段祺瑞）有小段（段芝贵），有老徐（徐世昌）有小徐（徐树铮），除此之外，还有大孙（孙中山）和小孙（孙洪伊）。我们今天讲的"小孙"，就是孙洪伊。

孙洪伊在晚清，是风头很劲的直隶谘议局的议员，向以敢言闻名。晚清最后几年的立宪请愿，他是冲在最前面的，以至于被摄政王载沣驱逐出了京师。民国成立后，他是进步党的要员，第一届国会的众议院议员。跟进步党的党魁梁启超和汤化龙不大一样，他跟袁世凯一直都取不合作态度，总在报章上唱反调。袁世凯死后，民元国会复会，原来的政党散架了，分裂成大大小小的俱乐部。而孙洪伊成了原进步党部分议员组成的"韬园系"的领袖。而"韬园系"又与原国民党议员组成的"客庐"和"丙辰俱乐部"联合，组成"宪政商榷会"，在国会中有很大的影响力。在很多情况下，可以左右国会的议题。

后袁时代，府院之争，即黎元洪和段祺瑞之争，成为北京政坛的主戏。虽然梁启超此时比较倾向段祺瑞，但小孙却站在黎元洪一边。由于小孙的态度和能量，国会总的来说偏向黎元洪的时候要多一点儿。

毕竟，此时的民国属于军绅政权，北洋系的老大是段祺瑞，而北洋系的各个督军看重的都是老段，而非那个空头的总统黎元洪。所以，即使国会站在黎元洪一边，黎元洪的气还是没有段祺瑞粗。好在，两人最初搭班子的时候，老段并不想把事儿做得太过分。内阁的组成，还要听黎元洪的意见，一些不算太紧要的阁员，黎元洪也可以提名，孙洪伊就是这样成了内务部的总长。当年北洋的人，对国民党人是有成见的，但对进步党却有好感，小孙是前进步党人，从感官上，老段也觉得说得过去。

虽说已经是民国了，但做议员的人，对于担任行政职务，还是相当乐意的。毕竟，都是从前清过来的，能握印把子还是神气，家乡亲友中提起来，也脸上有光。不过，小孙做总长，可不仅仅是为了做官。此时他的政治立场，跟前国民党人更接近，对北洋人，有从袁世凯时代延续下来的反感。身在段祺瑞内阁，小孙却总是跟老段的文胆小徐唱反调。由于谘议局和后来办报做报人的经历，此时的小孙特别有战斗力，很快就让允许他入阁的老段悔之莫及。

老段麾下的小徐，也是一个特别能战斗的人。而且老段行事每每大撒把，任由小徐独断专行。小徐的这个风格，从开始黎元洪就受不了，但老段没了小徐是断然不行的，必须用他做国务院秘书长。没办法，黎元洪在徐世昌的调停下，也只能忍了。但是，碰到具体的事儿依旧如芒刺在背，浑身难受。老资格的总统府秘书长张国淦实在没法协调这里的关系，挂冠而去，换来的新人，是原来小孙的报界战友丁世铎。有了老朋友的鼎力相助，小孙的炮火更猛，经常在国务会议上跟老段和小徐唱对台戏，以至于北洋人称他为"民党总长"。所谓的"民党"，实际上是清末民初人们对革命党不怀好意的称谓。

小冲突还不算事儿，很快，小徐就被小孙抓住了把柄，借机发动攻势。按规矩，简任以上的官员任免处罚，是要经国务会议讨论，尤其要征询主管总长（也就是内务部总长）的意见，才能由总理决定，上报总统盖印实行。但是，有几次这样的事儿，小徐这个秘书长自己就以总理的名义办了。小孙大声抗议，把事情捅到报界，然后辞职不干了。

明摆着小徐理亏，老段没法用强，只好降下身段俯身求小孙别辞职，小孙借机提了若干限制国务院秘书长的条件，老段也只好答应。小孙得意扬扬地回衙视事，这一个回合，小孙赢了。

然而，到了这个份儿上，梁子算是结死了。老段和小徐觉得，这个小孙是绝不能容了。而小孙这个时候，也恰好有件麻烦事被小徐抓到。小孙做这个内务部总长，是想有一番作为的。内务部负责国内警察事务，北京城外的管不了，但城内的总是可以管的。小孙早就看不上京师警察总监吴炳湘了，想要换他，但老段死活不答应，最终作罢。小孙心想，内务部的人你总管不到了吧，他一口气撤了28个部员的职。那个时代，北京政府各部都有一些挂名的官儿，不干活，领干薪的。这些人无非是各个大佬的亲友，被大佬一纸八行书推荐来的。前清时候就是这种积习，到了民国，也没有改。

　　然而，小孙动真格地整顿部务，这样的整法却捅了马蜂窝。这些人，都有来头。由于这28个人里，有若干参事和佥事这样的荐任官，总长无权直接罢免，而其他的人，要想罢免也得走一个复杂的程序。所以，这些人把孙洪伊告到专管行政诉讼的平政院。平政院审理之后，发现的确违反程序，所以裁决撤销内务部原来的免职命令，让这些人依旧回部任职。小徐见此，正中下怀，马上拟就了一道执行平政院裁决的命令，交由总统盖印。

　　然而，孙洪伊炸了，黎元洪也不肯盖印，理由是平政院是袁世凯时代建立的，其合法性是值得怀疑的。其实，执行行政法院的判决，是行政机关当然的义务。而就程序而言，平政院的裁决并无不当。尽管裁撤冗员在道义上有理，但不能用不合程序的方式来处理。而平政院是在袁世凯尚为合法总统的时候建立的行政法院，合法性并没有问题。不能说袁世凯后来称帝了，他此前所做的一切，都成为非法的了。

但是，道德主义却还是人们行事的一种原则。孙洪伊觉得自己理直气壮，而黎元洪也坚决支持他，报界也大多站在孙洪伊一边。但是，在法理上却是老段和小徐充分有理。两下僵持了一个月之久，老段干脆提出罢免孙洪伊，小徐一连四次把总理的命令送到黎元洪的桌子上，要求盖印，黎元洪当然更不能答应了。

事儿闹大了，就变成了政潮，媒体、国会、外省的督军都卷了进来。段祺瑞坚持不肯让步，以辞职要挟。黎元洪也知道，真要是老段辞了，全国大乱他可能担待不起。只好请大佬徐世昌出面调停。徐世昌惯做调人，两下安慰，让双方各让一步，这边，牺牲了孙洪伊，那边，牺牲掉徐树铮。老徐心知肚明，小徐不走，政潮不已。

最后，小徐不做国务院秘书长了，而小孙也离开了内务部。府院被老官僚徐世昌和稀泥再度搅和到了一起，暂时避免了公开决裂。此后在政坛上，小徐还有耀眼的表演，小孙虽说后来居然愤而参加了孙中山的"护法"（大多数国民党议员都没有去），进入孙中山的"非常国会"，却风光不再了。

## 汤二虎反奉

汤二虎者，汤玉麟也。汤玉麟是张作霖绿林时代的把兄弟，好马快枪，能骑在马上双手打枪，弹无虚发。曾经于乱马军中，救过张作霖的儿子张学良的命，跟张作霖是过命的交情。人们都知道，在1925年郭松龄反奉的时候，汤玉麟的骑兵对遏阻郭松龄起了很大作用，这样的人，怎么能反奉呢？然而，他还就是反过。

汤玉麟的外号，叫汤二虎。而汤玉麟在家行大，在张作霖把兄弟群里行六，张学良管他叫六大爷。这个二虎，是从哪儿来的呢？原来，东北人管行事很愣很猛很冲、不管不顾的人，叫二虎。这是个带笑骂、嘲骂意味的说法，而汤玉麟行事还真的跟二虎很配套，所以，二虎二虎的就叫起来了，他自己居然也认账。

张作霖主动招安之后，汤玉麟跟着张作霖做官，从哨长、管带一级一级上来，待到张作霖民国之后升任第二十七师师长时，汤玉麟则做上了旅长。这个时候，奉天将军是北洋系的资深大将段芝贵。段芝贵欲染指东三省已经有些日子了，只是在袁世凯做了总统之后，这个心愿才了了。

　　只是，段芝贵这个人是个银样镴枪头，真正做事，本事不大。上任之后，所作所为又让张作霖很不痛快。张作霖是个野心勃勃而且心机特深的人，不甘人下，善于观察。通过袁世凯上台之后的一系列作为，这个小个子看透了袁世凯对下面的军头没有太多的办法。只要自己有实力，就可以为所欲为。所以，张作霖召集他的把兄弟们，商议怎么能把这个压在头上的小段赶走。这时，就用得着二虎了。

　　汤二虎也真的不负众望，领命之后，真的带人去将军府开闹。明说是闹饷，实际上就是给了钱也不走，撒泼，耍横，装无赖，连威胁带吓唬。段芝贵手下没有兵，被一个实力派的旅长这样一折腾，魂都吓没了。没撑几天，就跑回了北京。然后，张作霖如愿以偿，做了奉天将军。

　　然而，张作霖做了将军，统管奉天一省之后，事情起了变化。这个土匪出身的人，此时不仅不是匪了，而且成了这块土地的主人。车上不能说车下的话，他要想着治理这个地方了。于是经人推荐，张作霖请出了辽东名士王永江做奉天警务处长，替他整顿秩序。

　　显然，王永江和张作霖谈过，奉天当时的最大问题，是社会秩序混乱。土匪倒在其次，最大的问题是军队带头不守秩序，胡来乱来，不仅打人，还抢劫。也就是说，当最大的土匪变成兵之后，兵的问题就成难题了。而王永江主持警务，如果不把这些骄兵悍将制住，那么奉天的秩序也就别想好了。

王永江在张作霖的支持下，锐意整顿，不讲情面，拿住作乱的军人，就一定要处理。结果呢，就跟汤二虎迎头相撞。别人的部队犯了事儿，王永江处理也就处理了，然而，汤二虎不买王永江的账，只要他的部下被警察拿了，他一定带人去抢。有一次事闹大了，汤二虎抢人，王永江执意不放。这边带兵把警务署包围，里面王永江下令架起机枪和小炮，准备开打。最后在张作霖的干预下，流血冲突没有发生，但是张作霖并没有像汤玉麟想象的那样，向着他说话。

一气之下，汤二虎感觉委屈无限，觉得张作霖不够意思，不讲义气，竟然率领他的五十三旅，向关内开拔——反了。

听闻汤玉麟离开的消息，张作霖没有派人拦截，一任他走。然而，东北兵离开家乡可是个大事，更何况是背着张大帅自己跑的。汤玉麟这个二虎，也不知道瞒着，部下一问，就兜底儿都说了。结果，一路走，部下一路开小差。等出了关没剩几个人了。

没办法，想来想去，只好去徐州投张勋。张勋在清末也在东北干过，做过汤玉麟的上司，对汤玉麟挺赏识的。所以，汤玉麟来投，他还挺高兴，马上给了他一个统领当当（此时的张勋，还是旧编制，分成一个一个的营，营之上设统领）。不久，张勋搞复辟，进京时，也带上了汤玉麟。其时，张作霖的另一个把兄弟，正在跟张作霖闹别扭的二十八师师长冯麟阁，也奔了北京，参与复辟（失败后，二十八师都归了张作霖）。

复辟失败，汤玉麟逃到了大连。张作霖知道之后，再把汤玉麟招回来，依旧让他做旅长。这段反奉经历，算是结束了。

此后，汤玉麟一直在张氏父子下面做将军，一直任人唯亲，兄弟子侄都在麾下做官。一直讲江湖义气，无论法治和规矩。贪财好色，恣意妄为。最大的时候，做到热河省主席，兼第五十五军军长，统率十万大军。1933年热河抗战，却一触即溃，十万人只剩下一个本事——跑路，把东北军的脸都丢光了。

从汤玉麟看，张氏父子的奉系军阀集团，其骨子里就是靠江湖义气凝集起来的帮伙，无论引进的洋派将领给这个集团贴上多少金，换多少张皮，内核也改变不了。


## 大手大脚的奉军


北洋时期，各路诸侯最舍得往军队上砸钱的，不是浙江的卢永祥和江苏的齐燮元，而是东北的张作霖。东北三省，还要加上现在属于内蒙的一部分地方，都是奉系的地盘，地广人稀，资源丰厚。经过奉系的财神王永江的整顿，东北的经济状况日见其佳，单一项大豆出口，就肥得不行。在奉军的扩张过程中，又有徐树铮送了大礼，在秦皇岛劫下了可以装备几个师的武器。所以在直皖大战之前，张作霖觉得已经不能缩在关外看风景了。

直皖之战，直系和皖系拼命，然而，观战的奉军却捡了大便宜。差不多一半的皖系军队的装备，都落入了奉军之手。原本就财大气粗、装备精良的奉军，锦上添花，更加膨胀。在兵力和武器上，都远远超过获胜的直系军队。火炮和机枪的数量，即使直系的嫡系第三师，也跟奉军的主力没法比。

正因为有这样的底气，皖系垮台之后，张作霖才敢大刺刺地蔑视吴佩孚。当着曹锟和吴佩孚的面，说一个小师长，不能议国家大事，他手下有好几个师长呢。以张作霖的精明，不会不知道，直系之所以为直系不是因为有曹锟，而是因为吴佩孚。吴佩孚从北打到南，从南打到北，常胜将军的名头不是白给的。但是张作霖觉得，军队打仗拼的就是大洋和枪炮，这两样奉军都占绝对的优势，他不怕这个"吴小鬼"。

张作霖待部下，特别仁义。张作霖过去做保安队时的老兄弟，即使犯错也不会受到惩罚，一个旅长把军饷输光，他骂一顿，照样给补上。在各个军阀之中，奉军士兵的待遇是最好的。要开仗了，别的军队关双饷，而奉军发四倍的饷银。但是，由于过于放纵，奉军内部不讲纪律，没有章法，长官克扣军饷的现象相当严重。大兵们在关外自己的家乡，倒是不敢造次，但出了关就会胡来。

直军这边，获胜之后地盘大了，军队多了，但财源跟不上军队的膨胀。加上吴佩孚总是唱道德的高调，北京政府也不敢借外债。一时间，不仅中央政府闹穷，军队欠饷也非常严重。北京政府中人，对苛刻的吴佩孚印象普遍不佳，有了点儿钱，宁愿给奉张，也不给直吴。到了亲奉系的财神梁士诒上台，吴佩孚的怨气来了个总爆发，直奉两家终于撕破脸了。

张作霖并不怕打仗，他觉得直军弹饷两缺，拿什么跟他打仗？以他的经验，这样缺钱少弹的部队，一开仗就得溃败。打仗打仗，就是打钱嘛。所以，大批的奉军开入关内，随行的则是大批的光洋，一箱子一箱子的，随时准备开箱子赏人。

第一次直奉战争，奉系打得极其奢侈。奉军这边一开战，大炮就把大批的炮弹砸过去，六个小时，倾泻炮弹七千多发，活生生把人的耳朵都震聋了。气势之大，火力之猛，是当年的皖军完全没法比的。但是，能沉得住气的是直系军队，尤其是直军的嫡系的特长。直军士兵蛰伏在战壕里，等到奉军的炮弹打得差不多了，发起猛攻，奉军居然顶不住了（弹药都差不多打光了）。直奉大战，一共打了六天，第二天，其实奉军就不行了。一溃千里的不是缺弹少饷的直军，而是钱太多的奉军。眼看部队垮了，张作霖居然让人带着成箱的大洋上前线赏人，是不是觉得只要钱到了，部队就能顶上去？可惜，兵败如山倒，大洋也拦不住。溃兵涌入古冶车站，各自抢占火车，抢着先走，结果挤得死死的，谁也动不了。张作霖的一个老兄弟，恃宠而骄，蛮不讲理，一定要让他先走，把前面的车推下去。张作霖派人说服也没有用。最后还是张学良出面，叫了几声大爷，才算放开一条路，让大家先后逃生。

到了这时候，张作霖才明白，自己的部队不是钱少，也不是弹药不够，而是军事素养不行，纪律不讲究，不仅当兵的不行，当官的更不行。然后才开始整军经武，按照西洋方式重新编练军队，卧薪尝胆，以图报仇。这一回，那些老派军官靠边了，留过洋、进过新式军校的人得了势。

兵是不愁的。兵败的奉军，战死的不多，都做了俘虏。当年的军阀部队，关内北方数省，士兵倒是可以通用。但还是各省人带各省的兵为最好。关外的大兵被缴械之后，直军居然无法将他们收编在自己的麾下，只好放了回去。枪给缴了，军装也扒了，只剩下一个小褂，背后还给写上一个大大的"废"字。当然，回到老家的奉军士兵废是废不了的，张大帅给发套新军装，就又回部队了，好好训练一下，还是可以打仗的。

兵败之际，张作霖蹲在滦州，但凡退下来的奉军士兵就给二十元大洋，即使被缴械，连军装都没有的，也给。这份大方和宽容，对奉军后来重整旗鼓还是有用的。

# 奉字号财神王永江理财

民国的北洋时期，被称为财神的人有好几个。但是，唯独奉系的财神王永江才是名副其实。别的财神，不过是会敛财而已，只有王永江至少在一段时间内，做到了让东三省比此前富了起来。

东三省本是个富裕的地方，但是在清末乃至民初，奉天一省的财政都无法自给，还需要外面拨款资助。东北的重心在奉天（今之辽宁），奉天的财政状况，等于整个东北的财政状况。1916 年 4 月，张作霖坐上奉天督军宝座之后，发现他治下的这个地方，不仅财政状况相当的紊乱，社会秩序也混乱，大为头痛。这时候，张作霖的谋士袁金铠给他推荐了一个人，此人就是我们要说的王永江。袁金铠说，若要治理奉天，非此人不可。

王永江是大连金州人，20 岁上就成了当地的优贡生，人在日本占据的关东州（大连），对日本人的地方治理有深入的观察，感触颇深。在被张作霖延揽之前，只应袁金铠之约，做过一段辽阳警察所所长。但他对奉天乃至东北的问题，却洞若观火，了然于心。

当年东北的问题，一是秩序混乱。张作霖上台之后，匪患倒是不大严重了，但张作霖部下这些由匪化来的军人，纪律差，胡作非为，没有人敢管。军人没有规矩，就没有人讲规矩了。二是土地所有关系混乱，官方田赋收入没准。东三省是清朝的龙兴之地，有大量的皇庄、中央政府专用的养马属地，王府的田庄，蒙古王公的猎场，这些土地面积很大，除了当初皇帝划拨的，还有汉人带地投充的。这些地，统统不交田赋，而且具体数量，也没有人清楚。清末新政，已经开始整理，但涉及皇家和亲贵，进展有限。进入民国之后，这些土地实际已经被田庄庄主庄头霸占或者私卖，但是具体数量和所有者，依旧是个谜。以至于东北有大面积的良田，田赋收入却少得可怜。三是，各级政府的税局厘卡，没有管理，也没有考核，税收跑冒滴漏严重，但对于商旅之害，一点儿不比内地轻。整个奉天，工商业只有一些传统的钱庄、烧锅、榨油和绸缎皮毛行业。大豆虽然从 20 世纪初就成为大宗出口商品，但基本上掌握在日本人手里，当地政府获益甚少。

其实，当年的东北最严重的问题，是南满和北满被日俄分别盘踞，中东路和南满铁路的路区，成为事实上的殖民地。虽说造成了大连和哈尔滨的畸形繁荣，但获益最大的却是两个宗主国。如此强大的殖民存在，给当地政府的治理造成了很大的麻烦。

当然，日俄的问题是当年的奉系根本没法措手的。整顿东北，只能从整顿社会和经济秩序入手。王永江先后担任奉天警务处长和财政厅长，乃至代理省长。首先，冒着生命危险，在张作霖的支持下引进人才，整顿警务，学习日本的办法，用铁腕手段，镇住了奉军，军队至少在关外，行为收敛了许多。为此，王永江差点儿跟张作霖麾下大将汤玉麟枪炮相见。最后，终于使得全省社会秩序有了根本的好转。然后，王永江凭借警察武力，在全省开展丈量土地、核实土地所有者的工作，一查到底，绝不半途而废。不仅使得全省的田赋收入激增，而且从侧面刺激了大豆的种植、出口，政府也可以间接获利。同时，王永江开始整顿各地税局厘卡，一边换人，一边制定严格的制度章程。税务人员超额完成任务，可以提成，但一旦被发现接受贿赂、放纵偷税漏税，一定严惩。杀了十几个人之后，奉天的税局厘卡有了根本性的改观。最后一招，是整顿金融，稳定奉票。财政收入增加了，奉票有了充足的准备金，而且他通过迭次发行短期债券、如期偿还的方式，增加了奉票的信誉度。当年，北京政府发行的债券从来没有信誉，几乎是一张废纸。然而东北的债券，却从来没有不还的。奉票的坚挺，使其成为东北乃至关内热河察哈尔一带的通行货币，信誉度超过了北京政府的中交票，大大改善了东北的金融状况。

在张作霖统治吉林、黑龙江之后，又把王永江的办法推广到吉黑两省。加上东北事实上的割据，不仅不再向北京解款，而且截留关余和盐余（即每年关税和盐税在扣除庚子赔款之后的结余）。由于东北大豆出口量与日俱增，关余数额相当大，等于地方政府变相从大豆出口中获得了好处。

经过王永江的整顿，东北的各行各业都有了一定的发展，加之又没有战乱，老百姓生活比较安定。当然，最大的获利者是张作霖。由于王永江的缘故，东北成为当年中国最富庶的地盘，张作霖变成了各路军阀中最为财大气粗的一位。每次出关打仗，列车上拉着一箱一箱的光洋。但是，正因为如此，也刺激了张作霖的野心。从1917年开始，张作霖就屡屡进关生事。南北战争、直皖战争，他都占了大便宜，从而开始有了逐鹿中原的打算。第一次直奉战争吃了大亏，退回关外之后马上开始整军经武，到1924年第二次直奉战争，打败了直系，从此身陷关内内战无以自拔。1927年在北京成立安国军政府，过了一把"国家元首"的瘾，已经逼近末路。

而王永江一直不同意奉军进关争天下，他一直不觉得张作霖是这块料，苦劝不成，于1926年1月托病辞官回乡。张作霖派袁金铠和张学良去劝驾，都被挡驾，自己出马，王永江也不答应，他已经看出，奉系和他的张大帅都已经走在黄泉路上了，在张作霖被炸死的前几个月，王永江病故在金州，在地下等着这位知己的恩主了。此时，以前跟光洋等值的奉票，已经毛到了一银圆换270元奉票的境地，东北，也需要靠种植和贩卖鸦片筹军饷了。

张作霖和王永江的故事，单挑出来，的确是一段类似刘备和诸葛亮的佳话。但前提是，王永江是奉天人。如果王永江是外地人，这段佳话根本就不会出现。张作霖上台之后，奉天各级政府里的关内人士，统统被赶走或者挤走。这里头如果还有一个王永江，也没法为其所用。可悲的是，王永江上台，也没有让张作霖改变他用人的局限。

这是张作霖的局限，也是王永江的局限。有人说，张作霖有气量，但是头脑混乱。其实，张作霖的气量，也是有局限的。正因为如此，王永江一直认为奉军统一不了天下，在关外待着就挺好，进关早晚会倒霉。


# 小诸葛折戟南京


近代中国，由于清朝皇帝偏爱《三国演义》，所以三国人物家喻户晓。从晚清到民国，自比诸葛亮的人，还真是有不少。奉系的谋主杨宇霆就是一个。此人把自己的字由"麟阁"改成"邻葛"就是这个意思，跟诸葛亮比邻。平时，最爱人叫他"小诸葛"。

小诸葛杨宇霆，个子不高，跟他的主公张作霖近似，但绝顶聪明。15 岁中秀才，然后投笔从戎，去日本士官学校留学，然后投身奉天军界。自打张作霖做了二十七师师长，就跟着张作霖了，是奉系新派军人的领袖。只是，奉系的新派军人还要分两拨儿，一拨儿是士官系，"海龟"；一拨儿是本土军校的，由于领头的郭松龄是陆军大学毕业的，又被称为陆大系，"土鳖"。两拨儿人在奉军现代化方面，方向一致，但怎么个干法，却各有说法。1922年第一次直奉战争之后，新派人物占了上风，两拨儿人的冲突反而激烈起来。要说，陆大系的跟老派军人倒是可以通融，跟士官系则形同水火，经常互相拆台。

杨宇霆有个士官学校的前后同学，段祺瑞的第一号谋士徐树铮。这俩人臭味相投，志趣也近似。人家管徐树铮叫"小扇子"，意思也是小诸葛。两个小诸葛，都喜欢玩阴谋权术，曾经大大地合作过一回。在段祺瑞派兵进湖南被打出来，从而被迫辞去总理之后，同时离开陆军部次长职务的徐树铮，把总统冯国璋进口的可以装备几个师的装备的信息，透露给了杨宇霆。胆大包天的杨宇霆，居然敢策动张作霖到秦皇岛把这批装备给劫了。虽说这批枪械没有都落到奉系手里，但奉系由此开始染指关内。张作霖这个胡子出身的大帅，真正有天下之志，至少有一半是杨宇霆给煽惑起来的。

1924年直奉第二次大战，奉系如愿以偿战胜了直系，成为北京的主人。此时北洋的牛人段祺瑞早就废了，曹锟也进了天津租界，曾经风光无限的吴佩孚此时也窝在岳州，寄人篱下。虽然还有冯玉祥可能捣乱，但国民军跟奉系的实力相差悬殊。看起来，没有什么人能挡住奉系一统天下的路了。所以1925年，奉系势力飞涨，直隶和山东尽在掌中。在滑头的江苏小军阀陈调元的配合下，把江苏和上海也纳入了自己的旗下，至于安徽，则是随手摘取的事儿。

由于直奉战后，张作霖和冯玉祥联手抬出了段祺瑞做临时执政，名义上的国家元首是这位北洋之虎。但是，随着奉军的扩张，张作霖是越来越不把段祺瑞当回事了。江苏督军，原本段祺瑞是坚持要给刚刚丢了浙江地盘的卢永祥的，任命已经发表了，但张作霖坚持要改，段祺瑞也就只好改，谁让北洋之虎没牙了呢！这样，小诸葛杨宇霆做了江苏督军。

小诸葛聪明一世，却不明白月盈则亏的道理。奉军扩张太快，纪律又太差，狗皮帽子的奉军大兵走到哪儿，都会引起一阵扰乱。尤其是流氓出身的"狗肉将军"张宗昌，简直就是流氓土匪痞棍的总首领，偏这个宝贝步子走得快，进入上海的奉军就是他的部下。此前，直隶、山东、江苏、安徽这些地方的北洋军，还大体安静，尤其是江苏上海驻军，一直安分守己，不大生事。这回来了奉军，大半个中国都被搅乱了，这一带的士绅们人人自危。军绅一体，士绅惊慌，当地军人也不安起来。

杨宇霆赴任，兵没带几个，但神气无限。杨宇霆到达那天，所有南京的文武官员都过江到浦口迎接。所有人的官衔名片，都由督署的承启官准备交给他一览。在众官员等了许久之后，杨宇霆到了。在军乐队的乐声中，杨宇霆大剌剌地下了车，众官都在给他行礼，文官鞠躬，武官举手，可是杨宇霆自始至终，一个礼都不回，承启官奉上的名片，连看也不看一眼。然后径直走向轮渡，上了船，直奔督署。

杨宇霆这样做，很明显，就是要给江苏人一个下马威。在他看来，这些人早晚都是要被换掉的。只带了一个营卫队赴任的杨宇霆这样牛气，当然也有他的道理。在奉军如此势头之下，回顾海内，似乎已经没有人可以挡得住他们了。在长江沿线，更是如此。江苏原有的军队，为首的就是陈调元，此时已经臣服，其他人根本不足惧。至于刚刚占了浙江的孙传芳，要消化浙江还得些日子，显然没有跟奉军叫板的本钱。虽然说郭松龄有意拆台，把原来在浦口的一个混成旅给调走了，但在江南，奉军还是有两个师，一个在上海，一个就在南京。虽说都是刚刚从旅扩张成的，但毕竟有两个师。只要给他一点儿时间，再从东北调些种子部队来，再编练几个师不成问题。到那个时候，漫说江苏这些坐地虎，就是浙江孙传芳也得乖乖听命。

　　然而，奉军的扩张，杨宇霆的倨傲，已经引起了当地人，尤其是军人的极大不安和反感。而孙传芳也是一个聪明透顶的人，当然明白奉军此来意味着什么。如果给杨宇霆以时间，整个江南就都是讨厌的狗皮帽子的天下了。所以，他根本没容杨宇霆喘气，在杨宇霆刚刚上任十天就突然发起攻击。陈调元也全力配合，只是，这个滑头有意放过了杨宇霆（留个余地），只把他后面拉着大洋的军车给劫了。只是苦了奉军那两个刚刚组建的师，被打得稀里哗啦，全散架了。孙传芳打得兴起，一直打到山东边界，把个张宗昌也打得没脾气。

就这样，小诸葛几乎只身逃回了东北，他在南京栽了。

自杨宇霆劫械以来，奉军在北洋时期的曝光机会越来越多，在中国政治中的分量也越来越大，这都跟杨宇霆分不开，然而，到了杨宇霆折戟南京，就开始走下坡路了。

命里注定，奉系得不了天下。

## 在家里待不住的黔之虎

贵州的军阀，在军阀之林中不上数，没有人把他们太当回事。自打民国成立以来，一直都是云南的附庸，唐继尧打个喷嚏，贵州无论谁当家都得感冒。不是因为别的，就是贵州人打仗不行。但是，贵州也有一员虎将，在外面的仗打得不错，这个人就是袁祖铭。

袁祖铭本是王文华麾下的一员将领，跟何应钦、卢焘、谷正伦他们齐名。只是，袁祖铭的学历比较低，仅仅是陆军小学的毕业生，到武汉去投考陆军中学，因为视力差没有被录取。平时，跟人家一比矮一头。但这个人打仗有一套，比那几位日本士官生战绩都好。

云南的唐继尧，是有天下之志的人物，自称"东大陆主人"，在云南办大学，不叫云南大学，叫东陆大学。别的军头也都有卫队，唯独他的卫队叫侁飞军，个头一般高，头戴带尖的钢盔，身上背着马枪，腰里挎着盒子炮，手上还拿一柄方天画戟，骑在马上，恍若皇帝的御林军。

唐继尧不安分，要出来跟人争天下，第一步，就要征服四川。所以，黔军也得跟着他进川。前几拨黔军都是跟着混的，只有袁祖铭当家了，入川的黔军才成了气候。

云贵川的兵，"双枪将"比较多，一根钢枪，一根烟枪。四川兵的那根钢枪，多半还是四川自己造的，质量很差，打上个三五枪枪管就红了。而黔军几乎人人是双枪，个个大烟鬼。因为相对于云南和四川，贵州更穷，气候和地理条件很不适合种庄稼，但是种大烟倒是不错。当年中国国产的烟土，云南为第一，其次就数贵州了。所以，为了增加收入，贵州的政府和民间都拼命地种烟，害得当地但凡是男人，个个都是烟鬼。

大烟鬼当兵，好处是大烟可以做硬通货，当大洋用，发饷没有大洋的话，直接发烟土就行。自己可以享用，也可以当钱花。贵州兵常年生活在大山里，爬山的本事除了湘西兵，没有人能比。真的打仗，只要烟瘾过足了，赏金（烟土）足够高，一样敢玩命。万一打败了就钻山了，然后一招，人又回来了。袁祖铭跟何应钦和谷正伦这些洋学生不一样，自己就是烟鬼，带着一帮烟鬼打仗，善于使唤，仗打得就是好。

贵州刘世贤被赶走之后，群雄争位，最后花落袁祖铭手里。这个家伙通过关系，搭上了吴佩孚的车，根本不把贵州原来的主子唐继尧当回事。说一不二，做了真正的贵州王，督军兼省长，都是他一个人。

不过，袁祖铭当家，一副兵痞习气。别的省，虽说省议会不过是摆设，但摆设都还在。他当家，派兵就把省议会给驱散了，只给了众议员三千块钱遣散费。然后把他认为有用的文人，都找来给他当幕僚，不管他们之间从前有什么过节，名声好还是不好。

在他治下，贵州鸦片种得多，过境烟土量也大，当然他税也抽得多。过去贵州食盐商办，他上台改为官营。老百姓吃盐贵了，但他的收入增加了。只是一点，土匪治不了。嚣张的土匪把他的父亲都给绑了票。最后没办法，他花了八万大洋，才把老爹给赎回来。所以，当年贵州人说他："无乱偏戡乱，巧名曰定黔。三千散议会，八万赎家严。人才龟兔鳖，政策兵烟盐。群奸皆昼寝，两长一身兼。"没一句好话。

在贵州当家没当好，但被唐继尧打出来之后，在四川帮助杨森驱逐熊克武，却打得很漂亮。一度占据了四川最大的码头重庆，八面威风。再后来，因为四川人联合起来驱逐客军，袁祖铭寡不敌众，退回贵州。此时，贵州已经在袁祖铭原来的部下周西成手里。周西成对袁祖铭倒是毕恭毕敬，但袁祖铭已经没有了再作冯妇的心情。换言之，小小的贵州，他已经没有兴趣了。这时候，国民革命军的北伐已经开始，昔日风头最劲的吴佩孚，号称十四省联军总司令，被北伐军打得一败涂地。袁祖铭顺风转舵，也接受了国民革命军的旗号，出山参加北伐。没想到，出到湖南常德却阴沟里翻船，被一个湖南的小人物算计，借吃饭的名义打黑枪暗杀了他。威震川黔的袁祖铭，就这样稀里糊涂翘了。

## 黔之虎的撕咬

柳宗元的寓言故事《黔之驴》，其实在说驴蠢的同时，也颂扬了贵州小老虎的厉害。只不过建省之后，贵州由于地太偏，过于贫瘠，所谓"地无三尺平，天无三日晴，人无三分银"，一向被人看轻。当地的行政经费，从来都得外省资助。清代云贵一体，而贵州则附属于云南。这个状况，一直到民国依旧如此。

不过，小小的贵州，人穷，地瘠，却乐于内斗。民国的北洋时期，云南如果不算蔡锷，基本上是唐继尧当家，仅仅一小段时间换了顾品珍，而同时期贵州则换了好几茬人。每换一茬，都是血雨腥风。辛亥鼎革，别的省大体平静，但是，贵州从一开始就恶斗不已，自治学社与宪政党人杀得刀刀见骨。掌握新军的自治学社把持政权，根本不容老派的人物立足。宪政党人请来了云南的唐继尧，把一个团的新军灭掉，自治学社的人死的死、跑的跑。最后唐继尧回到了云南，扶植了一个巡防营出身的刘显世，一个宪政党人戴勘做他的附庸，戴勘做民政长，刘显世做护军使。

然而，刘显世和戴勘马上就斗了起来。显然，文人斗不过武人，刘显世还算客气，没有杀人。戴勘被挤出贵州，刘显世做了土皇帝，当然是听命于云南的土皇帝。连讨伐袁世凯这样的大事，云南说干，他都得跟着。护国讨袁之后，刘显世似乎稳住了江山，只要跟紧了唐继尧，就太平无事。

然而，唐继尧是有天下之志的人，要做"东大陆"主人。所以，滇军出去征伐，黔军也得随着。西南出产中国最好的鸦片，物美价廉，所以，云贵川都是双枪兵。但同为双枪兵，也有个分别，比如有鸦片瘾的官兵，大概有个什么比例，其中，贵州兵几乎人人都是鸦片鬼，人精瘦精瘦的，但只要过足了鸦片瘾，漫说爬山走路不在话下，就是打仗，也没有太大的问题。所以，黔军出省，在四川内战的表现还是不错。但就是人太少，撑不住大局。护国之役过后，戴勘在北京的进步党人的支持下，做了几天四川督军，但是手下的黔军护不住他的宝座，落得个身死位灭，让梁任公好不悲伤。而出来打仗的武人王文华和袁祖铭，都曾经有过上佳的表现，但打着打着，就想回老家。一回老家，就要出事，人头落地。

北洋时期，别的地方军阀混战，一般来说，打胜的不会为难落败的，不仅不杀俘虏，对方的家眷和财产都不动。四川军阀混战，每个军头在对方的领地都有好些房产的买卖，打仗归打仗，这些财产没有人会动的。但是贵州内战，则失败者不仅人头落地，家眷和财产都保不住。

刘显世虽说是练团练起家的，却不是员战将，不懂军事。他当家，在军事上靠的就是他的外甥王文华。王文华颇有才具，思想也比较新。凡是贵州出去学军事的人才，比如士官学校出身的何应钦、谷正伦，以及外来的朱绍良，他都给笼络到自己的门下，所以，打仗还有一套。在贵州没出来打仗的时候，贵州的好枪好炮，刘显世都给了王文华，贵州人穷兵少，王文华一个团就是大半边天了。待到王文华听唐继尧之命到四川打仗，膨胀成了一个师。

即使膨胀成一个师，只要滇军失败，黔军也就站不住脚，还得回家。可是，贵州在王文华出去这段时间，已经物是人非。原来的地盘都归刘显世的弟弟刘显潜了。王文华尽管是刘显世的外甥，也不想久屈人下，于是派自己的一员战将替自己杀回贵州，自己躲到了上海静候佳音。刘显世猝不及防，手下的人都被干掉，自己仓皇逃往云南。打听到王文华去了上海之后，花重金派了一个杀手，到上海找到王文华，刺杀了他的宝贝外甥。

然后，贵州群龙无首，开始混战。混战中，原来依附刘显世的袁祖铭得胜，做了短时间的贵州王。在大革命开始时，又被王文华的旧部朱绍良设计刺杀。贵州落到周西成手里，然后又几经折腾，贵州王变成王家烈，屁股没坐热，最后被蒋介石收了。而那些留洋学生，何应钦、谷正伦和朱绍良，都不在贵州干了。当年人说，人在贵州，无论怎么折腾都是条虫，出了贵州，就是条龙。果然，这三位，后来都成了国民党的大将，全国性的人物。

## 湘西王的山西药方

阎锡山统治山西 38 年，是军阀之林中割据时间最久的一位。不过，在北洋时代，割据一省或者数省的军阀，统治时期比较长的还是有的。长不过阎锡山，但十年左右的，也有那么几位。而镇守使这一级的，大多忽起忽落，混得比较久的没有几个。而湘西王陈渠珍，却是一个例外。此公从 1917 年实际控制湘西，断断续续，一直延续到 1949 年，统治期之长，仅次于阎锡山。而有意思的是，陈渠珍"不倒翁"的秘方，其实就来自阎锡山。

湘西现在叫作土家族苗族自治州，当年的土家族还自称是汉人，却是汉人中比较彪悍的一个族群，系历代征伐苗人的军汉屯军的后人，向来骁勇善战，习武成风。在清代，这一区域属于一个军镇，人称镇筸军。在太平天国军队攻打长沙之时，若不是在危急关头镇筸军赶到，长沙兴许就丢了。

进入民国之后，湘西这块地方，属于晚清闹了一场著名教案的贵州提督田兴恕的儿子田应诏。田家是镇筸军的宿将，在湘西树大根深。而陈渠珍也出身镇筸世家，晚清新政时期，出来投考长沙将弁学堂，毕业之后，先后在湖南和四川新军任职。辛亥革命前，作为管带（营长）被派往西藏驻军，其间，还娶了一位漂亮的藏人太太。革命期间，驻藏军哗变，他带少量部队撤回内地，幸亏他的太太相助，才仅以身免。但是下山之后，太太却因感染藏地没有的天花身亡。这段感人的故事，后来被陈渠珍写成《艽野尘梦》一书，至今依旧是排在榜上的历史类畅销书。很多人知道陈渠珍，就是因为这本书，其次，是因为他跟沈从文有过一段瓜葛，沈从文写过他。

陈渠珍从西藏回来之后，回到家乡，投到了田应诏门下。田应诏是个纨绔子，喜欢吃喝玩乐，常年待在长沙，对湘西的事儿不大管。手下的军队，都到民国了还是当年绿营的老班底，老做派。湘西虽说山高林密，土地贫瘠，却是贵州到湖南，乃至江西的鸦片走私的通道，地方秩序混乱，给了帮会土匪强人们用武的机会。所以，在田应诏治下，强人出没，何为兵，何为匪，何为民，外人根本分不清，自己人可能也分不大清楚。

田应诏常年在长沙快活，把军政大权逐渐交给了懂军事也会带兵的陈渠珍。最后发现，湘西已经不是他的了。不过还好，陈渠珍在田应诏活着的时候，依旧保留他的湘西镇守使的头衔，只是镇守使的衙门安在长沙，由陈渠珍定期给钱。从此，湘西十县，就成了陈渠珍的地盘。

阎锡山做不倒翁，人们都说此公为人圆滑，八面玲珑。还有人说，是因为山西地方比较偏，油水不大。其实，如果仅仅有这样两个因素，不倒翁是做不成的。阎锡山成功的最关键因素，在于他的村治建设，他不仅有几十万的军队，而且有几十万的村干部，而村干部才是支撑他统治的基石。

1917 年之后，阎锡山的村治建设名满天下。各地来学习取经的，络绎不绝。但学完之后，真正把村治建设落到实处的，却是不多。当年来山西取经的人中，就有一队是湘西来的。一共 20 个人，领队是陈渠珍的秘书长陈伯齐。

在学习山西经验之前，陈渠珍治理湘西也很有一套，无非是整顿吏治，尤其是厘卡，剿抚土匪，清理屯田，兴办学校和工业等。这一套，也能见到效果。但单凭这些，却还差点儿火候。因为所有有点儿志向的军阀，都这样干。对陈渠珍威胁最大的本省大军头，前面有赵恒惕，后面有何健，大体也是这个路数。陈渠珍学习山西村治经验，才是成为不倒翁的真正秘诀。

"湘西考察团"从山西回来之后，陈渠珍委托熟悉山西村治状况，曾经做过湖南大学教授的湘西人瞿森楼草拟了《湘西自治条例》，真刀实枪地在湘西推行村治建设。根据湘西的实际情况，村治以乡为基本单位，每乡选出五至七人，组成以乡长为首的自治委员会。跟山西一样，村治都有武装，寓兵于农。这对于湘西而言，是顺理成章的事儿——原来的湘西，农村就有屯丁武装，转身变成保卫团（后来的挨户团）很容易。团丁的枪械，由以乡为单位的公摊出钱。打仗的时候抽调团丁，打完仗依旧归农。所以，湘西的军队，说起来可以很多，但民众的负担并不很重。

乡一级的自治组织，是县长管不了的，因为乡长是自治委员会的头儿。所有的乡长，都归陈渠珍直接控制，即使不称职，也只能报十县的自治组织所设的乡政督核处处理。实际上，这些乡长都是原来湘西乡村的能人，基本上没有撤换的必要。陈渠珍跟阎锡山一样，通过经常性的乡政自治培训，加强他与乡村自治干部的联系。他原来就是湘西土著，跟其中好些人早就相识。开展村治以后，他认识了湘西多数的乡长，都能叫出名来。只要这些人有事找他，他都热情接待，有求必应。村治建设搞下来，湘西的基层只认陈渠珍，换别个，谁来打谁。

就这样，尽管湘西风云变幻，事端时出，从赵恒惕、何健，到后来的薛岳，都想搞掉他，川中争斗失败的熊克武，以及贵州的王家烈，也打过他的主意，熊克武还以重兵围攻过湘西乾城，但都奈何不了他。湘西的兵，正经八本的仗倒是打得不怎么样，但是能耗，在大山里，谁也耗不过他们。即使逼他下野，别人也治理不了湘西，想要太平，还是得请他出山。否则，不仅遍地是匪招架不了，而且苗民还会造反。

在陈渠珍统治湘西的 30 多年里，他有机会问鼎长沙，更有机会占据贵州，但他都不干，就蜷缩在湘西大山里：一湘西人，得一湘西足矣。这个老谋深算的军头，跟那个文采飞扬、深情缱绻的《艽野尘梦》的作者，竟然是一个人。


## 郭松龄反奉失败的秘密


虽然说民国时期军阀部属的倒戈，稀松平常。但是，1924 年到 1925 年间，两次重量级的倒戈行为，却震动了全国。第一次，是第二次直奉战争中，冯玉祥倒了曹锟和吴佩孚的戈，第二次，是奉军的中坚郭松龄倒戈反奉。

冯玉祥倒戈，大获成功，基本上毁了在北洋军阀史上风头最劲的吴佩孚，让他精心训练的核心部队，烟消云散。此后东山再起，也不过是昙花一现。而第二次郭松龄倒戈，却彻底失败，夫妻两人的命都因此丢了，还搭上一个高级幕僚——民国大才女林徽因的父亲林长民。

说起来，冯玉祥有倒戈的本钱，而郭松龄没有。

冯玉祥的部队是他一手编练起来的。其中的基干部队，是他一个一个从老家挑来的，脑后有辫子，手上有茧子。几乎每个士兵他都认识，能叫出小名来。他的部队南征北战，从来都没有散过。从枪械到军粮，都是他冯玉祥给找来的。他自己说，他的部队就是一个大家庭，而他，自然就是这个大家庭的家长，而且是受子弟爱戴的家长，因为他是按照吴起吮疽的方式带兵的，经常跟士兵同甘共苦。正因为如此，当他决定倒戈的时候，虽然并没有跟多数官兵们事先说明，但他怎么干，官兵们怎么跟，让打谁就打谁。

然而，郭松龄的部队，可不是这个样子。

在倒戈之前，郭松龄掌握的部队，在奉军 18 个师中占 6 个，还有一个骑兵旅，两个炮兵旅，5 个工兵营，总共 15 万人左右，是奉军精锐中的精锐。最好的武器装备，最精干的士兵。因为这支部队是挂在张作霖的长子张学良名下的。当年的军阀，几乎人人如此，再亲，也亲不过自己人。打仗亲兄弟，上阵父子兵嘛。

只是，从张学良行伍生涯一开始，他就是跟他最信服的老师郭松龄绑在一起的。训练是郭松龄负责，提拔军官是郭松龄负责，指挥打仗更是郭松龄负责。奉军都知道，张学良就是郭松龄，郭松龄就是张学良。第一次直奉战争，老派将领的部队一塌糊涂，只有张学良和郭松龄的两个旅，还差强人意。而后，奉军整军经武，就是以这两个旅为模板开始的。而这两个旅，到郭松龄反奉的时候，已经发展到了两个方面军。张作霖看家的本钱，几乎都在这两个方面军里了。

但是，这支部队实际上并不是郭松龄的。它的主公，从大的方面讲，是老帅张作霖，从小的方面讲，是少帅张学良。简而言之，人人都知道，他们吃的是张家的饭。在那个时代，这一点很重要。老帅张作霖待部下很厚道，这个厚道，已经不是一天两天了。跟关内军阀不一样，总是变幻大王旗，奉军的稳定，从辛亥革命之后一直延续了十几年。

当然，奉军是个很大的集团。这样的集团，内部派系很多。有绿林出身的老派，也有喝过洋墨水的新派。新派之中，又分成以杨宇霆为首的士官系和以郭松龄为首的陆大系，一派"海龟"，一派"土鳖"。第二次直奉战争，奉系打赢了，昂首进关，一路凯歌行进。势力最大的时候，连江苏和上海都被括入囊中。各个派系的首领，诸如杨宇霆、姜登选、李景林，甚至一个流氓混混张宗昌，都各自成了封疆大吏，掌握一省乃至两省地盘。但唯独立了大功的郭松龄，没有寸土之地。

其实，这倒不是张作霖偏心，也不是像他事后说的那样，得像娶媳妇嫁闺女一样一个一个来，而是郭松龄手上是奉军的核心部队。虽然名义上是张学良的，但张学良又离不开郭松龄。所以，没办法把郭松龄连人带兵派成封疆大吏。当年的军阀，对部下的控制都是实力威慑法，如果自己人手里没有一支实力最雄厚的部队，各个部队也许就不听首领的了。实际上，张作霖也暗示过郭松龄，只要时机得当，是会考虑给郭松龄一个合适的地盘的。

郭松龄最终倒戈反奉，固然有他自己的野心在。他要用奉军这个当年中国实力最为雄厚的军队，以及东三省这块富庶的地盘，打出一份自己的天下来。但骨子里，他看不上脑子老旧的张作霖，也是一个非常重要的原因。

张作霖没有受过教育，一脑袋老旧思想，连辛亥革命他都不以为然。张勋复辟，实际上他是赞同的。对于五四以来中国的变化，他打心眼里看不顺眼，至于十月革命以来的赤化，他就更是深恶痛绝了。尽管第一次直奉战争之后，他放手让郭松龄他们整顿军队，但并不等于他能允许新思想进入军队。他聚拢部队的办法，就是两手：一手给钱，一手讲义气。

然而，郭松龄和他周围的一些年轻军官，像魏益三、盛世才（后来跟苏联走得特别近的新疆王）以及幕僚林长民和齐世英（即写了《巨流河》的齐邦媛的父亲），却思想日益激进，受五四以来国民革命的思想影响很大。尤其郭松龄跟冯玉祥联系上了以后，思想变化速度就更快。从这个意义上讲，他之所以反奉，是为了打造一个新的东北，一个新的奉军。

然而，他并没有本事把他自己的新贯彻到军队中去，他带的部队，除了极少数人之外，脑子依旧很旧，对张家老帅和少帅，有浓重的感恩思想。五四新文化运动，毕竟只是一个波及知识界和社会上层的运动，军阀的部队基本上对新文化无感。

所以，反奉行动开始，郭松龄部队和留在东北的部队虽然实力相差特别悬殊，但是郭松龄的行动，却并不像想象的那样顺利。就算没有日本关东军出来挡驾捣乱，这场倒戈战争也未必能赢。因为在郭松龄的部队中，"吃老张家的饭，不打老张家人"的想法，特别流行。而郭松龄为了缓解这种情绪，提出的"打倒老帅，迎接少帅"的口号，在当年的中国根本行不通。一个老子，一个儿子，谁能把老子和儿子截然分开呢？

所以，行动一开始，陆续拖枪逃跑的有，消极怠工的有，有意破坏的也有。打到新民，部队就哗啦了。最后连郭松龄的卫队都跑光了，只剩下他们夫妻两个，被抓了个正着，审都没审，一枪就毙了。

郭松龄这个奉军中一等一的枭雄，就这样完了。

## 周荫人的护财卫队

　　有人说，军阀的命根子就是枪杆子。但有枪杆子还得有地盘，否则没法养军队。有的人，像吴佩孚和冯玉祥，一门心思就是养兵练兵，占地盘、弄钱财，就是为了多养兵。但是，更多的军阀占地盘、弄钱，半是为了养兵，半是为了自己敛财。还有的人，养兵只是为了多占地盘，多占地盘就是为了自己发财。在大兵和现大洋之间，他们毫不犹豫地选择后者。

　　张敬尧是北洋老人，辛亥革命的时候，还是一员骁将，但做了湖南督军，却专以刮地皮为能事。弄了钱，不是回老家买地，就是汇到天津和上海租界的外国银行存起来。所以，尽管他名下的军队不少，但是打仗却十不顶一，作为占领湖南的北军顶梁柱的吴佩孚一撤，缺兵少枪的湖南军队一反攻，张敬尧的部队就稀里哗啦地败了下来。手里有三千万，却不肯给士兵发饷，当兵的能卖命吗？这个张敬尧，也只好去租界做寓公了。

　　曾经做过福建督办（也就是督军）的周荫人，也是一个张敬尧的翻版。此人原是江西督军陈光远的部下，陈光远被吴佩孚派人挤走之后，周荫人几乎成了无主的游兵。而同届的士官学校的同学孙传芳，原是湖北督军王占元的部下，在王占元被吴佩孚挤兑掉了之后，跟周荫人同病相怜，也同一个命运，一同被吴佩孚派到福建。因为皖系的谋主徐树铮，在福建搞了一个"建国制置府"，让吴佩孚很是不放心。孙传芳和周荫人两个师一到，徐树铮下面的将领王永泉倒是知趣，事先就把徐树铮送走了。

接下来，孙传芳和周荫人联手把王永泉赶走。孙传芳做了福建督办，周荫人做帮办。但是，周荫人一副在福建安家立业的架势，处处伸手，挤兑孙传芳这个老同学。而孙传芳压根儿就没看上福建这个地无三尺平的偏僻地方，一心想向北发展。于是，趁浙江的卢永祥和江苏的齐燮元开仗之际，把督办让给了周荫人，自己带队伍进入浙江，抄了卢永祥的后路。

周荫人得了福建之后，心满意足，开始尽其所能地刮地皮，一边对商旅下手，一边搞田赋预征。这还不够，就放手逼着农民大种鸦片，害得福建一地鸦片比纸烟还便宜，一手收鸦片税，一手派兵输出鸦片牟利。不到三年，刮了 700 多万，但是麾下的部队，可是半饥半饱。到了 1926 年，国民革命军北伐开始，何应钦带的一路从福建过，两下在龙岩永定一线交手，兵力占绝对优势的周荫人，却吃了败仗，仅以身免。逃回福州之后，虽说部队还有几个旅，但已无心再战了，打算离开部队带着钱跑路。开始打算从温州上船，结果发现如果没有兵舰护送的话，他很可能被绑票。于是，只好带着部队一路往北走。走到上海附近，被孙传芳派人拦住，不许他进租界。于是只好再往北走。一路上，他的几个旅的部队，就成了他的护财卫队。虽然一路都有人逃跑，但还是剩下的多。这些福建兵来到北方，人地两生，不跟着他也没别的办法。周荫人一路走，一路骂孙传芳。他不恨何应钦夺走了他福建的地盘，却恨孙传芳不让他痛快丢开部队进租界。就这样，一直到了天津附近，终于找到归宿了。在一个夜里，他和少数亲信带着从福建搜刮来的钱财，丢下了部队，躲进了天津租界，任由他的部队自生自灭。

到天津租界，他用这些钱广置产业，拥着妻妾，坐地收租钱过日子。像他这样做过一省首脑的军头，旧部众多，如果这些旧部日子过惨了，按道理，周荫人是该接济一下的，但是周荫人做得很绝，亲朋旧部一个不见，只管闷声过日子。不像张敬尧，没了军队，做寓公还不老实，老是惦记着东山再起，日本人来了，跟日本人勾搭，最后被军统干掉。而周荫人虽说日语说得不错，但就是一门心思做寓公，再也没有动过出山的念头。一直混到1949年，带着三姨太溜到了香港，最后病死在那里。

周荫人这样的军头，虽说从保定军校学到日本士官学校，但本质上其实就是个商人，而且还是一个土头土脑的商人。混军旅，无非是挣钱的一种方式。

# 北洋兵燹的铁路之灾

人们都说，民国的北洋时期军阀混战，兵燹迭生。但是这混战，其实主要发生在 1920 年以后。此前的二次革命、讨袁护国、讨逆（张勋），以及护法战争中的南北之争，基本上还只能算是局部战争，而且规模都不算大。到 1920 年下半年北洋系分裂，直皖开战之后，战争的规模和烈度，才一天天大了起来。即便如此，战争对一般民众的扰害也不如我们想象的那样厉害。据后来日本满铁对华北农村做的调查，即使烈度很高的直奉之战，战区的老百姓也大体可以照常生活。

但是，仗毕竟是越打越大了。各派军阀为了能打败对手，都拼命地扩军。原来中央政府陆军部对部队番号和兵额限度的规定，迅速成为一张废纸。军队多了，进口的武器弹药多了，对地方的财政压力也就大了，即使军队本身对地方扰害不大，但民众的负担却在加重，况且，还有像奉军（尤其是张宗昌部）以及一些出身刀客的陕军和豫军，这种不讲究纪律的军队。

其实，北洋时期的战争，对当年的中国社会最直观的破坏，体现在铁路上。当时的中国从晚清继承下来，大抵有京汉线、津浦线和京张以及京奉线等几条干线，再加上后来山西和东北自己修的几条铁路，属于中国政府管理的铁路，大抵有七千多公里。袁世凯死后，北京政府事实上政令不出北京城墙，但几条干线铁路，还是归交通部管的。所以，在段祺瑞统治时期，尽管中央各个部也都财政吃紧，财政部和交通部还是比较宽裕的。

但是，只要一发生战事，铁路就会有麻烦。讨伐张勋复辟之前，总统黎元洪跟总理段祺瑞闹翻，免了段祺瑞的职，这一下把北洋系都给惹翻了。最亲段的安徽省长倪嗣冲，马上劫了津浦线上四十个火车皮，用来运兵。这样的事儿，在当时还属于偶然。但到了直皖开战之后，这样的事情就变得越来越平常了。直皖战前，吴佩孚北上，就劫了大批的车辆。第一次直奉战争过后，原来直属于中央政府交通部的铁路，都被事实上军管了（京汉铁路大罢工，就是因为耽误了吴佩孚的事儿，才被镇压的）。随意调动车辆成为家常便饭，至于截留路款，也是司空见惯寻常事。运兵自然军头们不给钱，而铁路为商人运货，在军人的令下，每每要加征额外的费用，害得商旅裹足。在北京的美国使馆，从门头沟往前门火车站运过冬用的煤，吴佩孚的部下每吨煤要加征两元，装煤的时候，一个车皮要多加一元八角，另外每车皮还要额外的"孝敬费"二十五元。拥有治外法权的老美也徒呼负负，因为都是当兵的干的，向外交部抗议也没有用。连老外都给宰成这样，中国人会怎样，可想而知。

军人控制铁路，索取如此高的运费，但对于铁路维修却不管不顾。实在没办法了，开不动车了，才对付着修一下。进口的机车，款项一直拖着不给，老外也没辙。以前铁路是铁饭碗，从不拖欠员工的工资，然而到了军管之后，漫说一般的铁路员工工资经常会被拖欠，就连北京的交通部也开始欠薪。有一年，居然不得不把前门火车站站台上的大铁棚子给拆了卖掉，让部里的穷官儿们勉强过个年。交通部有钱的日子，随着军阀混战的升级，一去不复返了。

铁路在兵燹中的惨状，在很大程度上，是因为铁路是割据的各路军阀不管的，归中央政府直属。段祺瑞时代，虽然也是军人政权，但掌权的军人们行为还有点儿节制，各地的北洋系将领，也或多或少能听这个袁世凯之后的北洋老大的话。但是，一旦这个老大被后起的北洋第二代俊秀吴佩孚打倒，就开始了一个武力强权的时代，谁的胳膊粗力气大，能打仗，谁就说了算。原来归文官政府管辖的铁路，就变成了军人的囊中物。军人控制铁路之后，又没有把铁路的管理职权真的接管过来，变成有车我就调，有钱我就拿，但是铁路上的事儿，我又都不负责。即便直系控制的时候，直系里面的各个派系也是能抢就抢，能多占点儿就多占点儿。反正那是中央政府的东西，不拿白不拿。

所以，到了北洋时期结束，中国的铁路已经千疮百孔了。只有属于单个军阀的铁路，比如山西的同蒲路和东北的吉长、吉敦、四洮等几条铁路，还能维持比较好的状态。因为，那是军阀们私有的。

## 北洋军的思想教育

民国开张，历史进入北洋时代。袁世凯小站练兵的时候，对于当兵的思想教育基本上没有涉及。人们传说他教育部下"只知有袁宫保，不知有大清朝"，不过是政敌的攻击，他真的没这么干过。小站新军，基本上是德国陆军的训练路数，要说精神方面的培养，一个《皇帝练兵》歌勉强可以算，但强调的还是忠君爱国，跟袁宫保没半点儿关系。

但是，事情后来起了变化，尤其是吴佩孚当家的直系，打败了吃得好、军饷高、在兵力和装备上都占优的皖系之后，有些军头发现，吴佩孚的部队由于练兵练得好，而且部队有精神讲话，有些爱国主义的精神灌输，精神头儿的确比皖系的部队好。在一定的条件下，精神还就是可能战胜物质。

这一点，在冯玉祥身上体现得尤其明显。冯玉祥跟吴佩孚一样，都是北洋系的第二代将领，在练兵、拢人、精神鼓动方面，跟吴佩孚非常相似。过于相似的两个人，是会发生相撞的。所以，吴佩孚越来越看不上冯玉祥，好端端的把人家的河南督军给拿下了，让他进京做一个莫名其妙的陆军检阅使。冯玉祥离开河南的时候，把他编练的一个师和三个混成旅的队伍都带上了。没办法，对于军头来说，军队是命根子，不能割的。

没有了地盘，如何养活这些部队就成了大问题。从理论上讲，这些部队都是国军，应该由中央政府发饷。但是实际上，谁招的兵就是谁的，给养和军饷，只能由带兵的人自己负责。冯玉祥通过曹锟的关系，活生生从总统黎元洪嘴里，把北京崇文门关税拿了一部分过来。然而，这点儿钱只能让他的部队每天喝小米粥，至于饷钱，基本上就别想了。

过苦日子，还得维持部队不散伙，所以，冯玉祥特别强调思想教育。不仅部队洗礼信了基督教，而且在爱国上狠下功夫。每个营不仅有随营牧师，而且有精神教育室，里面挂着清末人画的列强瓜分中国图。经常请人来讲中国屈辱的近代史，特别强调抗日。后来，第二次直奉战争中他发动政变，搞垮了曹锟、吴佩孚之后，他的部队迅速扩张，但这精神教育的传统却维持了下来。但凡他的兵，都会带一个写了很多字的臂章，上面写着"不扰民真爱民誓死救国"十个字（发动政变时，是一个白布的袖章）。每个士兵的军服里面还缝着两个白布条，一个写着"一弹当着全军团体性命看"，另一个写着"军队须视为民众之武力"。第一个布条这么写，是因为冯部比较穷，子弹来之不易，所以要珍惜子弹，不能乱放枪；第二个布条，则说冯部是民众的军队，子弟兵。自冯玉祥开始，对于士兵的臂章和布条，要定期检查，不许有脱落污损的现象发生。如果哪个部队的士兵有脱落的，那么长官是要被罚的。

冯玉祥的部队，经常要上课。除了战术讲授和演练之外，就是"精神教讲育"，除了前面讲过的近代史教育，还有请人编的古代仁人义士的故事，还讲蔡锷编的《曾胡治兵语录》，以及军纪教育。冯部由于冯玉祥的个人喜好，军官学校的毕业生特别少，整个部队文化水平比较低，所以，请人上课所讲的东西，效果有限，但是，爱国精神和纪律，却可以通过长官的反复强调得以加强。比如冯部的张自忠，在给部下宣讲军纪的时候，把抢劫民财处死、奸淫民女处死这些条款，都说成是"扒皮"，不是处死，是活活扒皮。因此人送外号"张扒皮"。

这样的精神教育，使得冯玉祥部队在一段时间内，的确纪律好，而且凝聚力强。即使不发军饷，也没有什么人开小差。而且，整个部队，特别的仇日，时不时就会闹出些仇日事件来。

不过，这样的精神教育是冯玉祥通过家长式的掌控来实现的，一旦部队多了，效果就会打折扣。尤其是 1926 年，他在张作霖奉军的压迫下，不得不离开部队去了苏联之后，庞大的部队终于溃散了。溃散的部队，什么纪律和精神，也就谈不上了。北伐战争后期，他东山再起之后，好不容易又团聚起一个大摊子，1930 年跟蒋介石大战一场，还是被瓦解了。

## 算命的"哲学家"

民国是个鱼龙混杂，各路神仙加上妖魔鬼怪都现世的时代。人的命运摇荡，富贵与破落，每每在一念之间。即使贵为军头，统率千军，也往往不知道自己明天会怎么样。所以，三教九流的人物，信道的多，皈依佛门的也多，至于迷信巫卜星相的，就更多了。西南有两位有名的"预测大师"，一位是王簸匠，一位人称仇瞎子。王簸匠本行是成都一个有名的簸匠，并不以看相卜卦为生。人来找他，看得顺眼，就说两句，不顺眼，就只顾干他的活计。然而，川中大小军头在开战决策之时，每每会找他说说。这些军头和部下，过了几十年，回忆过往的大小战役，还经常会提到王簸匠的卦，可见印象之深。

仇瞎子是个瞎子，但不是先天瞎，眼瞎之前，已经读书识字，加上的确人很聪明，对于儒释道三家经典如数家珍，相当熟悉，于《周易》更为精通，行走江湖，多半有过师承。从事占卜算卦揣骨的行当，渐渐有了名气。

王篾匠活跃的时代，是北洋时期。而仇瞎子则在抗战时期特别走红，川中的军头邓锡侯、杨森，云南的龙云，华北的宋哲元都找他算过，甚至连国民党的嫡系将军邱清泉，也找他算过一卦。他自己宣称，连蒋介石都找他批过八字，但无法考证，未知真假。

王篾匠算卦，没有招牌，坐等人上门，而仇瞎子则云游四海，挂招牌招徕顾客，就是吃这碗饭的。仇瞎子本名仇庆云，每到一处必定寻当地最大的宾馆，租一个套房。在宾馆门口挂上一个大镜框，上面有仇瞎子的照片，下面则是一封介绍信，说他是"现代哲学家"（这是民国时分的特点，但凡在城市里操此行业，必定要说自己是哲学家，说自己这行是科学），以哲学为基础，科学为依据，能知人贫富贵贱，凶吉祸福。凡诸婚姻、求子、发财、升官、人口走失，等等，无一不可。后面详列一大串"介绍人"，凡是他给算过卦的知名人士，如上述的军头，都成了他的介绍人。除此而外，还有一个小镜框，里面装的是仇瞎子给蒋介石批的八卦。这样两个镜框一挂出来，一定顾客盈门。

每次顾客上门，要先挂号。由他的秘书在外间详细登记来人的姓名、籍贯、岁数、职业等信息。信息用一种特别的胶质墨水，写在瓦楞纸上，在仇瞎子跟人闲聊之际，偷偷通过一个小洞塞进里间的一个抽屉里，只要仇瞎子在聊的过程中悄悄打开，用手一摸，就可以了解来人的基本情况（瓦楞纸上写的字，他能摸出来）。有了这些基本信息，无论是揣骨、算卦还是测字圆梦，凭他的经验，就都可以"料事如神"了。算卦过程，好些内容都是这一行传统的本事，通过聊天，探测对方的心理，通过了解对方的身世，说些两头堵的话，来预测未来。对顾客的脾气秉性、以往的经历，一般都说得很靠谱，但事情结果如何，就要看顾客怎么理解他的话了。

如果说，仇瞎子的本事就是一个蒙和骗，倒也未必。如果碰上大人物，大人物又来问大事情，他必定拿出毕生的本事，小心应对。仇瞎子虽说不是个哲学家，但是对时局和时事却时刻关心，所以做出的判断，大体八九不离十。

当然，他也不是专门逢迎大人物，对于他看不上的人，尽管来头不小，比如一些交际花，他也会批出很不好听的卦辞，不惜开罪这些人的后台。大不了，换个码头躲躲风头。但消息一旦传出去，人们对他就更加有好感了。毕竟，像他这样的人，即便得罪个别大人物，欣赏他的人还是大把的，断然不会因此而断了财路。

巫卜星相这一行，原本就是时局不靖，人的命运变幻无常的大形势下才能兴盛。在战乱时期，人命不如狗，即便是大富大贵之人，也挡不住瞬息祸福。人们问卜求卦，本质上无非求个心安。王篾匠、仇瞎子之辈的"料事如神"，其实是因为人们的心神不定。据仇瞎子的秘书说，在抗战时期，他生意最好的时候，就是豫湘桂大溃败之际，一系列的兵败如山倒，带来了大面积的人心惶惶。百业不兴，唯独仇瞎子发财。

# 第四章
# 点点滴滴藏着历史

# 参谋本部掘宝记

清末新政，军事改革，学日本也设立参谋本部。只是，清末的参谋本部叫作军谘府，一个具有中国特色的名字。当然，当初日本人也是跟德国学的。所以，参谋本部也好，军谘府也好，都是总参谋部。清末的军谘大臣是摄政王载沣的亲弟弟，十九岁的载涛，涛贝勒。

进入民国之后，军谘府这个名称被改掉，就叫参谋本部。在袁世凯时代，军政尚能统一，所以还有点事儿可干。袁世凯死后，各个军头各自为政，参谋本部成了摆设。加上各地都不给中央解款，北京政府一直闹穷，最穷的衙门，就属参谋本部。陆军部还可以批编制，对某些没有地盘的军队还能调动，而参谋本部，一点儿实权没有，谁也不把它当回事。这个衙门唯一可以生钱的"生意"，是卖地图。从清末到民初，参谋本部在还有钱的时候，绘制了一些地方的地图，军头们打仗，需要这玩意儿，所以，参谋本部奇货可居，就卖这玩意儿换点儿零花钱。多少呢，能发俩零花钱。

到了直系曹锟做总统的时候，连一向有钱的财政部、交通部、外交部都闹穷了，参谋本部就穷掉底儿了。地图也没法老是卖，索薪也没有下文。眼看着大家都快过不下去了，好些部员连房租都交不起了。房东喊警察来赶，硬是赶不走。当时做总长的是张怀芝，次长是陆锦，两位都是失意的军头，曾经阔过，但是老是这么耗着，被部员成天索薪，心里也急。

这时候，北京玉泉山汽水公司的经理朱兰田不知从哪儿打听到，说是参谋本部的办公大楼院子，是原来做过多年内务府大臣的立山的宅基地。这个立山，在庚子闹义和团的时候，跟载漪、载澜不对付，被砍了头，后来虽然平反，但身后萧条。当年内务府是清朝最有钱的衙门，做过多年内务府大臣的立山，据传很是有钱，而有一大笔，就埋在他的宅子下面，如果能挖出来，可是很可观哪。

于是，这位朱经理就找到参谋本部的张怀芝和陆锦，把事儿一摊开，两人高兴得不得了。当即决定，两家合作干这事，事成之后，三七开分账，即朱兰田负责所有的挖掘费用，拿三分，而参谋本部是地主，拿七分。

于是朱经理领来了工程队，择吉动土，一寸一寸地挖。百多号人，挖了一个多月，把院子翻了个遍，连个银子毛都没看见。朱经理慌了，连忙在大楼里摆下香案，烧香拜关公老爷，三跪九叩，祈求关老爷保佑，指点迷津。又挖了十余日，感觉真是没戏了，正要收工，突然发现新掘的坑底有块大青石板。朱经理惊喜万状，觉得这下可挖到宝贝了。于是连忙向总长次长汇报。张怀芝和陆锦得报

第四章

点点滴滴藏着历史

之后，三步并作两步来到现场，参谋本部的人员，听说了消息，把个现场围了个密不透风。总长一声令下，众劳工把石板撬开，发现下面埋着好些绍酒坛子。这下，人们更高兴了——坛子里面肯定是银子了。然而取出一个坛子，发现里面除了灰泥煤渣之外，一无所有。一个如此，再开一个也是如此。一共六十几个坛子，坛坛如此。原来，北京城的院落有的地势比较低，雨水流不出去，于是在地下放些空坛子用来渗水，即所谓的渗坑。

朱经理挖了一个半月，结果挖出来一个渗坑，好不丧气，赔了钱挖，还得赔钱把它埋上，把地弄平。参谋本部的人也空欢喜一场，原本指望发点儿饷，也落空了。

就这样，政府闹穷，一直闹到张作霖当家才算告一段落。张作霖做了大元帅，此前欠薪，他不管，他当家之后，不欠了。可惜，张大帅当家没过太长时间就结束了。国民党当家，政府搬到了南京，参谋本部，人都换了。

# 喊操的人

晚清的军队学习西方，是从淮军开始的。淮军在上海，跟洋人组成的洋枪队绑在一起作战。洋枪队自美国牛仔华尔死后，由英国的正规军军官戈登统带。戈登是个负责的军人，因此，洋枪队虽说是洋官土兵，却有点儿西方军队的模样了。在太平军的刺激下，淮军也开始配备洋枪洋炮，由于有洋枪队的影响，淮军不得已也洋枪队化了，跟洋人学练洋操——列队，立正，稍息，托枪，齐步走。当年的洋枪洋炮，都还是前装式的。不仅填装速度慢，而且准头也不大，使用的时候必须排成方阵，前列放枪，后列装药，不断地放排枪，才能对对方构成较大的杀伤。所谓的洋操，就是为了排方阵做准备的，不会洋操的军队，是排不了方阵的。

后来，西方军队在普遍采用后膛枪炮之后，作战方式有了根本性的变化，方阵被淘汰了，列队出操仅仅作为军队操练的基本形式保留了下来。战术变化繁多，军官的作用越来越重要，因此开始了军官职业化的训练，强调了军校教育的重要性，由此，逐渐形成了西方"军官团"这一军队社会团体。

但是，面对这样的变化，晚清的淮军却没有跟着变，变化的只是武器，很快就开始使用后膛枪炮，方阵也被弃用了，但其他的变化，却没有跟上。在洋枪队时代，军队的军官对于洋操一窍不通，所以，只能由所谓的洋教官来发口令。淮军的行列口令都是英语，士兵们一听到"Stand up！"就知道是立正，听到"Forward looking！"就知道是向前看。后来洋教官走了，喊操的换了中国人。一般是从士兵中挑选出来个子高、嗓门大的人，给他们多一点儿军饷，习惯了，也称他们为教习，有时，也叫作"靠把"。如果嗓门足够大，可以在操场上给一千人喊操，军饷能比普通士兵多一倍。李鸿章跟着西方的形势，也办了军官学校——北洋武备学堂，但毕业生放到军队里，长官只用他们去喊操，当准洋人教官用。

喊操的中国"教习"，实际上依旧是士兵，没品没衔，当然也不懂军事（北洋武备生除外）。但是因为嗓门大，军饷高了许多，而且得到长官的青眼，也不用服诸多士兵必须服的劳役，这让一般有上进心的士兵很是羡慕。冯玉祥最初当兵的时候，第一个人生目标，就是做这样的教习。因此他每天早起，跑到郊外操场练习喊操，能喊多响就喊多响，即使大年初一也不间断。当兵的都笑他是神经病，他也不管不顾。就凭着这么一股子劲儿，坚持了四年，冯玉祥如愿当上了喊操的教习，挣了双份的薪饷。朝廷成立武卫军之后，他觉得武卫右军（袁世凯的新建陆军）薪饷高，就改投武卫右军。到了武卫右军，发现虽然里面的军官都会喊操，但还是让士兵的教习来喊，薪饷同样比较高。于是，他就成了武卫右军里的喊操教习，然后一步步从副目（副班长）、正目（班长）干起，逐渐升到管带（营长）。进入民国之后，逐渐熬成旅长，然后又成为西北军的首领。事业的起点，不言而喻，就是喊操。

跟冯玉祥同样命运的，还有一个杨善德，这个人也是从淮军投奔武卫右军的。当年武卫右军里，喊操嗓门最大的有两个人，一个是杨善德，一个是马龙标。俩人后来都混上去了，杨善德还做了浙江督军，成为方面大员。

没有军功，也不是军校毕业，单凭喊操也能喊出名堂来，这是当年中国军队的一个特色。学西方，在初级阶段耽搁的时间太久，行伍里的人已经习惯了有喊操教习的生活。一度，立正稍息齐步走的洋操，跟喊操的人一样，成为当年中国军人心目中学习西方的全部。一个喊操的士兵，无形之中，有了领袖的身段。能升上去，也不奇怪。

比较起来，中国的军事现代化，还算是学西方走在最前面的。但是，即便如此，长期以来一直满足于皮毛，满足于形式。同样是步兵，瞄准射击显然要比立正稍息重要得多，但是，瞄准射击马马虎虎，没几个人在乎，立正稍息却讲究得多。

洋操，原本并不是花架子，但是，到了中国人手里，硬是给搞成了花架子。

# "一战"的中国冲击波

第一次世界大战是欧洲人的事儿，那时的中国人管它叫欧战。既然是欧战，关中国人什么事呢？所以打起来以后，中国人就像什么事儿没发生一样，非常非常冷漠。政府中只有几个负责情报收集的人，翻看一下欧洲的报纸，做一点儿简报给总理和总统看看。

真正感觉有点儿不对劲儿的，是在中国的欧洲人。原本在华的欧洲人，都自以为是上等人，彼此还挺抱团的。东交民巷的使馆区，每次开Party每个使馆的人都来，发愁的只有一件事，就是漂亮的女伴不多。现在，英国人、法国人和俄国人倒是关系依旧，然而，却没法邀请德国人和奥匈帝国的人了。原本英国公使觉得法国人不怎么样，德国人倒还不错，可现在连打声招呼都政治上不正确。英国人主导的六国饭店，原来的管理者都是德国人，现在接到上级的指令，得把他们都赶出去，但是，真赶出去了饭店也就甭开了。

当然，中国人也没法真的置身事外，因为身边有个日本。而日本在"一战"的时候站队选对边了，加入到协约国一边，跟英法一伙。但是，日本人没有派兵去欧洲参战，而是打起了中国青岛和山东的主意——有很大的可能，他们参战为的就是这个。当时青岛在德国人手里，山东因为有德国人修的胶济铁路，也是德国的势力范围。战争一打响，日本人就扑了上来。德国人原本打算把青岛还给中国，但日本人警告中国，不许接受。然后在重兵围攻之下，势单力孤的德国人只好投降。于是，青岛和胶济铁路就被插上了太阳旗。这个战事，算是发生在中国土地上的欧战。

然而，这仅仅是"一战"对中国的第一轮冲击。第二轮冲击，是日本想借"一战"之际，独占中国，于是提出了《二十一条》。虽然说在袁世凯政府的软磨硬泡之下，《二十一条》最要命的七条最终被取消，但签署了剩下条款的袁政府合法性大损，也已经摇摇欲坠了。袁世凯死后的中国进入了四分五裂的混战期，但是，"一战"对中国的冲击并没有停止。第三轮的冲击波，是由于参战问题，导致的府院分裂。执掌国务院的段祺瑞执意要加入协约国参战，而住在总统府的黎元洪则执意不肯。国会和社会舆论，都向着总统。这个事儿的来由，是欧洲打了三年，劳动力严重匮乏，协约国想到了打中国劳工的主意，拉中国参战。在这个过程中，日本是最积极的，他们的积极不是在意能拉多少劳工，而是通过这个"拉"，彰显自己主导中国政治的姿态。

然而，德国人也没闲着，他们通过支持辫子军的统帅张勋，策动了一次帝制复辟。而反复辟的段祺瑞，背后站的是日本人。德国人的钱没到位，而日本人的钱到位了。于是复辟结束，张勋在德国大汉的帮助下，躲进了亲德的荷兰使馆。

这波的冲击，中国貌似占了点儿便宜，庚子赔款份额不小的德国和奥匈帝国部分可以停止支付了，其他部分的赔款也可以暂停。德国和奥匈帝国在华的租界以及产业都归了北京政府，还连带着收了两艘小舰艇。在华的德奥两国的官兵，都进了中国政府特意建的俘虏营，中国政府像大爷一样供着里面的人。日本人还给了中国政府大笔的贷款，说是用来组建参战军，以及进行一些基础建设。然而，主持北京政府的段祺瑞却用这笔钱打了一场"南北战争"。这事儿起源也跟"一战"有关，因为给张勋的那笔钱到了，张勋完了，德国公使就把一部分给了孙中山。孙中山把部分海军拉到广州，成立了一个护法军政府。段祺瑞要平了这个另立的政府，顺便收服西南的陆荣廷和唐继尧，所以就开战了。

打内战都不是好事，打来打去，把北洋系内部的矛盾打激化了。所谓直系和皖系之间最终撕破了脸，刀兵相见。此前因为参战得到的那点儿好处，都给打没了。"一战"早就结束了，但中国的战争却刚刚开始。

顺便说一句，"一战"给中国最大的冲击，实际上是战争结束后重整国际秩序的巴黎和会。作为战胜国的中国人，刚刚还在胜利的狂喜之中，却被会议上弱肉强食的丛林法则当头一棒，愤而激进，想要革命了。而十月革命后的苏俄，正好给了中国一个革命。

## 苏俄人来了

十月革命一声炮响，就当时而言，对中国如果有震动的话，也就是报纸的几篇篇幅不大的报道。中国人跟对待正在发生的欧战一样，没有什么兴趣。所以，根本谈不上会产生什么变化。但是，这声炮响却对东交民巷的俄国使馆，产生了致命的震撼。

革命后好几个月，俄国使馆里的俄国公使库达摄夫王子，都拒不承认新政府。对俄国革命怀有敌意的列强公使们组成的公使团，也就让这位王子继续在俄国使馆待着。当年的北洋政府，也对这场革命满腹疑窦。虽然人家那边政府换了，既然公使团认为旧使节还应该赖着不走，不走也就不走了。北洋政府也没有这个心情，跟新政府建立新的关系。就这样，沙俄政权早就覆灭了，但沙俄的驻华公使却在北京的俄国使馆里，待了三年。直到1920年，苏俄政府发布《对华宣言》，北洋政府在法律上撤销对已经消失了三年的沙俄政府的承认，库达摄夫王子才姗姗地离开，加入了白俄流亡者大军。

一国在他国的使馆，本是驻在人家国家的代表，如果跟本国政府不发生关系了，那么这个使馆就没有存在的必要了。退一万步说，使馆人员的经费包括生活费都没有着落了，他们怎么活呢？不过，在当年没有问题。经过公使团的调解，北京政府的总税务司把原本该付给俄国政府的庚子赔款的俄国份额，拿出来一部分给了在北京的前沙俄的使馆，所以，这个使馆虽然无事可做，却生活得挺滋润。当年的库达摄夫公使和夫人是东交民巷的一对可人儿，很招其他人的喜欢。公使团可是舍不得这一对可人儿就这样消失在他们的聚会中。当年北京的公使团被中国人称为外交团，能量巨大。中国的军阀政客办事，必须想到的一点，就是外交团是否乐意。而外交团如果干涉，哪怕此事仅仅是中国内政，多半是会有成效的。军阀混战，城头变幻大王旗，每次下野被通缉的政客都会躲进东交民巷或者六国饭店，然后再在使馆人员的庇护下悄悄地离开。北京政府就是明知道怎么回事，也不敢管。

但是，人干不过形势，苏俄政府一旦站住了脚，公使团再怎么有本事，沙俄的使馆人员还是保不住了。里面的人倒是挺齐心的，据说，只有一个翻译乐意继续跟新政府合作。不过，苏俄政府发表《对华宣言》以来，越来越多的白俄难民涌入中国，难民最多的地方是哈尔滨和上海，北京也有一些。来北京的白俄难民很多都是贵族，他们穷困潦倒，却不肯做苦工，北京也没有多少可供他们做的工作。于是男的乞讨，女的卖淫。当中国男人花一两个大洋就可以拥有一个白俄女人的时候，在北京的欧洲人可是感到非常的丢脸，但是又没有什么办法。在上海的欧洲商人还曾经为此事拿出钱来救助这些白俄，但后来救不胜救，也就算了。对白俄的最大规模的救助，是张宗昌组织了一支白俄军团，规模最大的时候，能有几万人。

1924年8月，苏俄的驻华大使加拉罕，穿着笔挺的晚礼服，戴着白羊皮的手套，头顶一顶讲究的大礼帽，乘坐一辆六轮马车，去见了北京政府的总统曹锟，递交了国书，然后住进了被沙俄公使赖了多年的俄国使馆。

加拉罕的到来，引起了东交民巷的一阵扰动。因为他是使馆区第一位大使，其他国家都还只是级别低的公使。自晚清开放以来，欧洲列强看不起中国，所以只在中国派驻级别低的公使，只有美国人曾经打算升格，但清政府居然没有答应。这回加拉罕一来，按道理，外交使团里只要有一个大使，使团的领袖就当然是这个人。然而，对苏俄政府怀有敌意的欧洲各国使节们，可不想这样做，在商议了一阵之后，决定打破惯例，不认这个账。他们的公使团还是公使团，干脆不接纳俄国人。

然而，俄国人可不管这一套，加拉罕到北京之后，也不屑跟公使团啰唆。他在忙着到处演讲，所到之处，受到了痛恨列强的青年学生的热烈欢迎。苏俄的使馆，俨然成为北京的另一个中心，一个激进人士的中心。到了曹锟政府垮台，倾向苏俄的冯玉祥控制北京之后，苏俄使馆就更加活跃了。

一场大革命，眼看就要来了。革命改变了中国。

# 一起"爱国"冤案

五四运动，是一场波及社会各界的爱国运动。学生们闹得最欢，但其他各界也没闲着。北京是当年的首都，运动的发起地，声势浩大自不必说。其他通商大埠，上海、天津和汉口，也都动静挺大。次一等的城市，杭州和福州也有出色的表现。

只是，这种爱国运动，运动到了江南，多少有点儿走形。社会各界人等，最关心的事儿不是日本人怎么欺负我们中国人，伤害中国的主权，而是担心他们下毒。闹义和团的时候，江南没有什么动静，但义和团时期防洋人下毒的解药在北京没有再度流行，却在江南有了市场，到处都有人在传，几味中药，卖到脱销。大街小巷但凡有水源的地方，就有人在看守瞭望，发现有可疑人等就会有人上去盘问。在上海的日本人、朝鲜人，只要拎着瓶子出来打酱油，马上就会有人盯着，看他们是不是打算下毒。上海的郊区，还闹出过中国官员被当成下毒的日本人，最后被围殴的事件。幸好，那时的上海人手还不怎么毒，没有打死人。可是，杭州却没这样的幸运，因为所谓的下毒事件，闹出了人命。

当时，杭州跟上海一样，到处盛传日本人收买汉奸，在中国的河流湖泊下毒，要把中国人都毒死。比较起来，杭州人比上海人还紧张，风声鹤唳，草木皆兵，疑神疑鬼的，谣言越传越花花。一天，有个闲人在杭州骆驼桥附近的一个池塘钓鱼。钓鱼嘛，自然会有些工具，装鱼饵的口袋，看起来有点儿怪，于是路人就起了疑。一问之下，这个人口音居然还是外地的，还挺不耐烦的。双方就争吵起来，动静越来越大。国人的习惯，但凡有吵架打架的事儿，肯定会有人围观，围观的人，从来不会闲着，肯定要起哄。原本人们心目中就有奸人下毒的成见，吵来吵去，成见就成了现实的存在。于是，大家一哄而上，把这个闲人打翻在地，还不解气，继续打。

正在这个当口，当地驻军一个排长，身穿便衣带着手枪路过此地，见众人围殴一个人，眼看要出人命，就出头排解。众人一听，这人是北方口音，嫌疑更大，打！又是一通乱揍。杭州人手太重了，一时之间，俩人竟然都被打死了。而且人们发现后一个人腰间还带着手枪，更加断定就是"日本间谍"，居然发狠将之剥光了衣服，还割了他的阳具，然后一哄而散。

省会一下子出了两条人命，其中一个还是驻军的排长，浙江督军杨善德闻讯大怒，严令警察厅长夏超立即破案，缉拿凶手。夏超是当地人，多年的地头蛇，行动能力很强，立马把侦探撒出去。但是，这种围殴致死的命案要想找出谁是主凶，其实挺难的。参加围殴的，当时有百人之多，要说责任，几乎人人有份，又不能都抓了

（也抓不全）。警察和侦探，费了好大的劲儿，抓了十一个人。一审问，没有一个认账的。又找不到人证和物证，当年又没有摄像头，确定真凶，没有头绪。要怪，只能怪民众的"爱国热情"太高，对日本恨得太深。这种"爱国氛围"一旦形成，弄出事儿来，很是容易。

但是，当年的浙江督军杨善德是北洋军人，小站的老人，他带来的军队骨干都是北方人。这回有一个无缘无故被打死了，还被人割了阳具，死状太惨，不找出凶手，无以安抚他的部下。警察惹不起这些兵爷，更惹不起督军，怎么也得找几个替死鬼。

刑讯之下，最终两个人招了。一个是当地的流氓头子，有过好些不轨的前科，沾边，就跑不了。另一个更冤，是个人力车夫，很可能没参与围殴，但事过之后，"人家偷牛，他拔桩子"，把地上两人的血衣拿去，打算洗了之后自己穿。那时候穷人多，死刑犯的衣服照样有人扒了穿。但是，这两件血衣却成了铁打的罪证，洗都洗不干净。于是，这俩人就被枪毙了，其余的人也都被判了刑。

当然，尽管日本人下毒这事，根本就是子虚乌有，爱国的杭州民众的爱国热忱却也无可厚非。只是，怀疑人下毒，应该把人扭送警察局，查实后处理。当场就开打，活活把人打死，的确是过了。可是，人，尤其是众人情绪上来之后，哪里能按捺得住呢？更何况，这种情绪戴着爱国的大帽子，更是让人理直气壮，于是理直气壮地就弄出了人命。而督军则错上加错，不严格按法律来，非找出顶罪的不可，于是，四条人命稀里糊涂地就没了。

至于为什么国人总是想当然地认为外国人会在水里下毒，委实是个莫名其妙的事情。我们把这事按在英国人、法国人、德国人、日本人头上，怀疑洋兵、洋商、传教士，从 1840 年一直怀疑到 1919 年。此后，还是会这样怀疑下去。然而，真实的下毒事件，一起都没有发生过。但只要有人这样说，都照例会引起人们极大的恐慌。打死打伤国人，其实不过是恐慌的表现而已。

爱国的愤怒，背后的东西，挺复杂的。

## 冯玉祥武穴罢兵事件解码

冯玉祥的第十六混成旅，1918 年奉命援湘，参加"南北战争"，走到武穴，通电宣布罢兵，呼吁和平，不打内战。这个事件，在国民党当家之后，从后面往前看，具有绝对的正当性，所以在冯玉祥的回忆录里，是一件被大书特书的自鸣得意的好事。

只是，好多历史事件表面上展露出来的，跟实际上的往往不是一回事，做历史的，需要为之解码。

冯玉祥在北洋军中，的确是一个另类，不贪财，不图享受，只爱兵，把自己带的一个旅，当成自己家的产业来经营。他自己回忆说，他当旅长的时候，全旅官兵大部分都能叫出小名来。这似乎不是夸张，而是事实。从后来他的部下对他的崇拜中，可以略见一斑。而且，在辛亥革命中，他是北洋下级军官中少数几个敢于起兵反清的人，见识的确跟一般北洋人不一样。只是，辛亥滦州起义的时候，他只是一个小小的管带（营长），借革命之势推倒清朝，兴许可以有飞黄腾达的机会。但是到了1918年，他已经是一个混成旅的旅长了，这个旅经他经营多年，兵力已经跟人家的一个师相若。弄得不好，兴许全砸了，就像第八师王汝贤一样；弄好了，也许就升上去了，成为方面大帅，否则就被销号。这是一个小有野心的军头，最为谨慎的时刻。

所以，你说冯玉祥不想参战，生怕损失兵力是没问题的，但公然唱这样的高调，跟如日中天的段祺瑞对着干，冯玉祥当时多半还没有这个胆儿。况且他的部队，去年还第一批参加讨逆军，跟着老段参与讨伐张勋，得到老段的奖赏。

原本，段政府是命令冯玉祥援闽，南北战争开打之后，福建也受到了西南的威胁。冯玉祥根本不愿意去福建，担心卷入战事，部队受损失。对于他这样相对独立的混成旅旅长来说，部队就是他的命根子，兵消耗掉了，就没说话的本钱了。但是，讨逆之后段祺瑞如日中天，有钱，有权威，不由得他不听话。于是只好借口招募运输队，多招了 3000 人，预先把可能的损失填补上。到了南京之后，江苏督军李纯是代总统冯国璋的人，冯国璋本不倾向开战，所以，李纯也就对打仗不积极，冯玉祥赖在江苏不走，李纯不仅给他开饷，而且补充了枪械。招的 3000 人运输队，转眼就变成了一个新兵团。

原陕西督军陆建章，自打丢了地盘之后，静极思动。冯玉祥一直都是他栽培起来，还把内侄女嫁给了他，第十六混成旅也有好些陆建章的人。关键是，他跟段祺瑞从小站以来，就死不对付。看着段祺瑞得意，他浑身难受。安了心，要给老段捣乱。所以，此时也来到了冯玉祥军中，出主意让冯玉祥夺取安徽督军倪嗣冲的地盘，自己来做安徽督军。为了让冯玉祥下决心，他告诉冯，江苏督军李纯答应配合，而倪嗣冲兵力不多且老旧不堪，计划很容易成功。

然而，滞留江苏浦口的冯玉祥，此前就接到了陆军部的命令，要他转道湖南参加战斗。看见冯玉祥没有动静，命令一个接一个，督催逼命。同样接到援湘命令的第七师张敬尧部，和山东张怀芝部，以及安徽安武军，也摆开部队，逼冯玉祥跟他们一起行动。而原来倾向于不战的李纯，因为冯国璋屈服于段祺瑞的意志，也改了主意，建议冯玉祥去湖南。

没有办法，冯玉祥只好上路。其实，福建还没有开打，而湖南已经是战火纷飞，冯玉祥最不想去的地方就是湖南，走到武穴就停下不走了。陆建章也赶到，拼命劝说冯玉祥杀向安徽。冯玉祥非常谨慎，特意派人去安徽侦查，发现倪嗣冲十分警觉，无机可乘。不能偷袭安徽，也不想进湖南，只好赖在武穴。冯玉祥在陆建章的撺掇下，大着胆子发了一个通电，痛陈内战之非，意思是我不干了。接着又发一通电，主张罢兵修好，早开国会。

这两份通电，一时让冯玉祥成了名人，但是，却把老段气歪了鼻子。一个命令下来，免了冯玉祥的旅长。但是，第十六混成旅全体官兵马上发了一个通电，说是旅长主和，是全旅官兵的意思，若要治罪，请将全旅 9995 名官兵一体治罪。此时，湖南战事，北军已经大有起色。跟陆建章预想的不一样，通电之后，没有人响应，来自北洋阵营的骂声倒是不少。眼见得冯玉祥身上的压力是越来越大了。原本就狐疑不定的冯玉祥已经打算妥协了，但是，陆建章这边却不好交代。

心生退意的冯玉祥，被陆建章逼得没有办法了，就说若要向安徽进军，得开一个官兵大会，向大家讲明道理，陆建章答应了。第二天，陆建章早早就到了会场，但左等右等，冯玉祥也不来。忽地一个卫士来报，冯玉祥来时，路过石桥马失前蹄摔伤了，会不开了。陆建章急了，大呼：我有话要讲！你们旅长摔伤是假，第十六混成旅是我一手培植起来的，你们才有今日，你们要听我的！然而，各部队纷纷离场，没有一个人理他。陆建章愤极，跌倒在地，大骂冯玉祥忘恩负义。知道事已不可为，只好悻悻地离开了第十六混成旅。

打发了陆建章，冯玉祥派人去跟曹锟联系，曹锟答应帮忙疏通，于是陆军部免职令取消，让冯玉祥革职留任，戴罪立功，前往湖南。到了湖南，冯玉祥部也没打什么大仗，还收编了不少湖北的散兵，队伍有所壮大。不久，老段让冯玉祥官复原职，还给了他一个常德镇守使，算是有块地盘了。在这块地盘上，冯玉祥养精蓄锐，队伍扩张成一个足额师四个团的规模，此后，搭上直系的车，一路飞腾，渐成大人物了。

## 倒戈的秘密

民国时期，军阀之间的战争，倒戈是一个战争胜负相当重要的因素。倒戈的原因，百分之九十九都跟利益相关。所以，当年的老外讥笑中国人的内战，不是用枪炮打的，而是用光洋和烟土做武器的。

不过，把当年的中国军人都说成是卖货的，也不大公平。倒戈大多有倒戈的理由，这理由跟利益有关，但具体说来，还是比较复杂的。比如频繁混战的四川军阀，倒戈是家常便饭。弄得川军打仗，经常忽东忽西，一会儿这个有席卷之势，一会儿那个再席卷过来，胜败每每在弹指之间。这是因为四川基层的军阀，大抵是带枪的袍哥大爷，挂谁的旗帜其实都无所谓，关键是自己这个小天地不能被损害。所以，就跟草一样，随风倒。

冯玉祥在民国，有一个特别不雅的绰号：倒戈将军。其实满打满算，他真正意义上的倒戈只有一次，就是第二次直奉战争期间，倒了曹锟和吴佩孚的戈，让"常胜将军"吴佩孚一败涂地。

关于这次倒戈，冯玉祥自己说是"首都革命"。他也希望写历史的都这么写。可惜，人们依旧称它是"北京政变"，到死，他都没有遂愿。在冯玉祥自己的叙事里，把这场倒戈政变说得特别有道德，特别的正义。为的就是推翻腐败的曹吴，实现他们爱国爱民的理想。

其实，说曹锟腐败，倒还有点儿依据，毕竟此公办了一场震惊中外的贿选。现钱交易，让国会把自己选成了总统。但是吴佩孚却自始至终都没有腐败过。自己不贪钱，嫡系的部下也没有搞钱。有点儿钱，都用在部队上了。冯玉祥多次用来举例，说明曹吴腐败的事儿，是他领到一批枪械，结果总统批了，人家还不给，只能给曹锟的亲信、搓澡出身的李彦青送了十二万，才算把枪械领下来。但是，这种事儿是当年的惯例，不塞小费，漫说枪械，连军饷也领不下来。

曹锟和身边的人能贪到什么地步？从现在看，贪腐程度比皖系当政时要差多了。即便李彦青这样的人，后来被冯玉祥的人逮到，打到死也没有吐出钱来，这本身说明他的钱并不太多，也就是个要钱不要命的土财主。

更何况在曹吴之间，冯玉祥跟曹锟的关系还不错。冯玉祥真正恨的人，不是曹锟，而是吴佩孚。吴佩孚拿掉了他河南督军的职位，调任北京，给了他一个莫名其妙的陆军检阅使。但是曹锟批给了他的部队三个混成旅的番号，还允许他带着部队到北京来上任。上任之后，由于没了地盘，部队粮饷不继。还是曹锟协调，让总统黎元洪把崇文门关税的收入吐出大半来，给了冯玉祥。每次受了吴佩孚的气，都是曹锟安慰他。

于情于理，他冯玉祥都没有道理去打倒曹锟。发动政变，第一步就包围了总统府，把曹锟软禁起来，废了他的总统，仅仅是对外证明他行动的合理性而已。

说一千道一万，冯玉祥倒戈，说到底还是利益之争。要说错，当然是吴佩孚的错。吴佩孚这个人，百般都好，就是气量小，不能容人。冯玉祥跟他一样，都是北洋第二代，而且是能练兵、不爱钱的第二代。差不多同时期做的旅长，颜色太相近了，容易互相看不上。所以，吴佩孚决不能容忍冯玉祥坐大。当然，冯玉祥做人有时也太矫情。都说君子之交淡如水，但是吴佩孚过寿，你真的给送一坛子清水，也忒不近人情了。不久，果然遭报应了。做军阀的，一个命根子是军队，一个命根子是地盘。没有地盘，就不好养军队。冯玉祥一直都没有地盘，部队靠中央政府有一搭没一搭的军饷，吃尽苦头。好不容易坐上了河南督军的位置，居然被吴佩孚剥夺了。带着一个师和三个混成旅的部队，驻在南苑，仰人鼻息。日子的难过，不是一般。据说，在那些日子里，全军上下只能吃小米粥。

1923年，山东临城发生土匪劫国际列车事件，害得当时的山东督军田中玉被换掉。有消息说，冯玉祥要去做山东督军了。高兴得冯玉祥都跟部下讲了，让他们准备上火车。结果又被吴佩孚给拦住了，叫冯玉祥空欢喜一场。

现在有证据表明，当年的冯玉祥是跟奉系有勾连的，由张作霖定期给冯玉祥一笔资助。这也是没有地盘，也没有财源的冯玉祥，在南苑期间依旧可以添置武器的原因，而且他的部队吃的，也不像他说的那么差。后来发动政变，他的部队可以一天一夜强行军走180里，一个天天吃粥的部队，无论如何做不到这一点。

其实，冯玉祥的异动，吴佩孚也不是一点儿没有觉察。他派冯玉祥做第三路军的司令，去承德朝阳一带跟奉军偏师对抗，后面还派了一支监视部队。可惜监视冯玉祥的胡景翼师，早就跟冯勾在了一起。冯玉祥回师之后，北京城守城门的孙岳部，也是冯玉祥的同党。就这样，冯玉祥兵不血刃，就完成了政变，抄了吴佩孚大军的后路。

倒戈的人，都有不能为外人道的秘密，这点秘密，其实就是利益的不平衡。

# "倒戈将军"与道德诅咒

　　冯玉祥这个人，一辈子追求进步，不贪财，不讲究享受，那个时代的军人普遍都有恶习，没有几个吃喝嫖赌抽都不沾的。但是，我们知道，他却有一个不怎么样的外号：倒戈将军。其实在那个时代，倒戈是军人稀松平常的事儿。前文我们也说过，西方人嘲笑中国军人，仗不是用枪炮打的，而是用大洋和烟土在打。只要把大洋和烟土送上，稀里哗啦就倒戈，谁这边的人倒戈的多，谁就一定会输。川军勇于内战，隔几天就一小仗，几个月一大仗，每一仗都伴随有大量的倒戈，一场战役，倒过来再倒过去的小军头不计其数。最严重的时候，杨森的部队，不仅重武器全收起来由自己的家人掌握，甚至传说，士兵睡觉的时候都得脱掉裤子，防止逃亡。

　　我一直不认为，在民国，尤其是在北洋时期，倒戈是个被人看不起的丑陋行为，因为倒戈的军人实在太多了。每一仗的开打，都会有战场之外的另一路人马出动，去收买对方的人，这一路的成败，甚为关键。冯玉祥后来的失败，也是因为他的部下接二连三地被老蒋收买，背叛了他。那么，为什么别人倒戈无所谓，单单总是拿冯玉祥的倒戈说事呢？

首先，冯玉祥的倒戈，动静比较大。第二次直奉大战，正是因为他的反戈一击，导致直系土崩瓦解，毁了"常胜将军"吴佩孚的一世英名。因此而入关的奉军，纪律比较差，惹人反感。其次，也因为冯玉祥过于清廉自持，让众军头不舒服，抓住一个"把柄"，就有的可说了。

其实，尽管冯玉祥的倒戈惊天动地，但跟其他军头倒戈一样，有基于自己小集团的充分理由。此前，恰是吴佩孚让他没了地盘，一师三旅之众没有了给养，有一顿无一顿地活着，不接受奉系的接济，怎么维持下去呢？军阀时代，每个军头的生命就是军队，你让我的军队活不下去，我反叛你，充分有理。每一个大的军人集团，里面都有若干小集团，而小集团才是这个集团首领最看重的。吴佩孚深恨冯玉祥的倒戈，但此前他却没有做任何一件维系住冯玉祥的事情，而且都在向反面用力，怎么能怨得了冯玉祥呢？

在历史上，每个王朝的承平时期，都有一种文治的秩序。一旦这种秩序出了问题，军人集团的割据就不可避免会出现。有时这种军人割据的持续比较短，有时则比较长。最长的，从唐朝的藩镇到五代十国，持续了一百多年。

每当军人从后台走到前台，破坏了文治秩序，也瓦解了传统意识形态和道德的时候，都会遭遇"道德的诅咒"。军人在反抗皇帝、动辄叛乱的同时，发现自己内部的维系也出现了问题。他们不效忠皇帝，却也没有很好的办法让部下效忠自己。唐朝中叶，河北的藩镇首领们，控制集团的办法就是靠收养能战的将士，跟某些特别能打仗的将士形成准血缘的父子关系，用这些人组成牙兵牙将（牙指牙旗，即帅旗），即亲卫部队作为威慑力量，用直接的武力来看住其他人。可是时间一长，牙兵牙将恃宠而骄，要价越来越高，到了藩帅百般讨好也不能满足他们的时候，就有事儿了。或者藩帅被牙兵们换掉，或者藩帅招来其他的军队把牙兵干掉。所以，从藩镇割据到五代十国，所有的军人集团一直处在动荡之中，小的集团动荡，大的集团也动荡。五个朝代，平均的寿命也就是十年多一点点。

清朝覆灭，强人袁世凯也没能恢复文治秩序，随后顺理成章地进入军人割据时代。由于这种转换发生在"三千年未有之大变局"的当口，随着皇权的崩解而带来的道德冲击，使得这个时代的维系问题，比五代十国更为严重。中央政府还在，但跟五代的朝廷一样，只有给予割据者以名号上的合法性的价值。五代还有皇帝，而现在皇帝已经没有了，军人的效忠面临着双重的危机：传统道德的瓦解和西方价值的冲击。袁世凯组建模范团，本质就是藩镇和五代的牙兵。没有嫡系武力的段祺瑞，讨平一个只有五千人马的张勋，都得靠重金收买军人来替他打仗。好不容易建了一支参战军，还未旋踵就被看着眼红的直系和奉系灭掉。各省的督军，如果不兼任下面一个主力师的师长，就会被部下赶走，师长、旅长，亦复如是。

维系内部，靠的都是牙兵模式。频繁倒戈的军头们，也不断地遭遇古已有之的道德诅咒，倒人戈者，亦复被人所倒。

正因为如此，很多军头都在找出路。冯玉祥信基督教，用水龙头给全军洗礼，刘湘拉孔孟道，唐生智全军信佛，都是找出路的尝试，但是没有一个人能真的走出来。靠得住的，还是传统的血缘、地缘和业缘的维系——用自家人最踏实。鼎革所带来的维系道德的冲击，实在是太大了。由此产生的精神裂痕，也过于深重。旧的道德已经残缺，但人们依然对此恋恋不舍，新道德尚未生根，但已经成为舆论的主旋律。为了现实的需要，每个得势的军头，脚都踩在旧道德的门槛上，身子却在对新思想和新思潮献媚。就像吴佩孚一样，用"五常八德"立身，却天天高喊五四以来的新口号。

被人称为"倒戈将军"的冯玉祥，在中原大战中，眼睁睁地看着自己心爱的部下一个个离他而去，悲痛欲绝，哀叹：我的西北军哪儿都好，就是一个见不得钱，一个见不得女人。其实，见不得钱见不得女人，是那时候军人的通病，谁也好不到哪儿去。关键是，当年的军头，谁也没有办法建立一种防止军人倒戈的制度和文化。大挖冯玉祥墙脚的蒋介石，最后在大陆溃败的时候，遭遇的也是倒戈大潮。传统的道德诅咒，并没有因时代而失效。

## 杨森的"四爱主义"

川中的军头，多半好色，这点，杨森拔头筹。他发迹之后，所到之处只要见到他看上眼的，一定要想办法纳为妾。小老婆的陪嫁丫头，但凡有姿色也一定要睡。人说杨森老婆成排，儿女成连，一点儿都不假。在这方面，大概仅仅次于"狗肉将军"张宗昌。张宗昌不仅老婆成排，而且花色比较多，不仅有国产货，还有白俄、朝鲜和日本的姨太太，人称"国际纵队"。杨森的姨太太，还都是中国人。

姨太太多了，未免看不住，而杨森肚量不大，一旦知道有姨太太给他戴了绿帽子，不仅姨太太要死，而且涉事的男方也要死，而且死得很难看——如果跑得不够快的话。而张宗昌多数的姨太太都是从窑子里弄来的，两天半新鲜，过后丢开，连他自己都忘了。姨太太重操旧业，无赖们嚷着去睡张宗昌老婆，他即使听到了，也一笑置之。

肚量不大的杨森却很洋气，给他做姨太太的，要学钢琴，还要学打网球，学骑马。当然，也得学点儿古文，读点儿四书五经什么的。但是，后面的要求是可以马虎的，而那些洋玩意儿，却非得会才行。玩得好的，受宠的概率就大，玩得不好，或者干脆学不会的，就不怎么受待见。

杨森第一爱的是女色，排在第二的，就是网球。别看四川地方偏，但网球棒球这些外来的洋玩意儿，可挺流行的。在民国年间，别说成都重庆，就是刘文辉治下的西康边陲小县，竟然也有棒球队，玩得像模像样。至于做过四川督理、主政过成都重庆的杨森，就洋气得没边儿了。他身边的秘书，一般都得会打网球，没事儿就陪主子玩玩。但不管怎么玩，都不能赢了杨森，但是还不能让他看出是故意输的。又要玩得尽兴，又不能赢他，这种陪练水平低不了。当然，陪好了也有好处，以后升官发财有份儿。杨森打网球的时候，一般都会让姨太太们看着，有时，也会让其中打得像样的上场陪他玩玩。有这么一帮莺莺燕燕的啦啦队，打起球来赏心悦目，心情愉快。1949 年之后，杨森跑到台湾，主管台湾的体育事业。他的这点儿爱好得到了充分的发挥，在他的管理下，据说台湾的体育事业还真挺有起色的。

杨森的第三爱，是爱马。这马，是高头洋马。他为洋马修的马厩，比人住的房屋还好。只要有空，他几乎每天都要去马厩问候一下他的爱马，以至于他的姨太太们很吃醋，私下里说那些马是他的亲妈小妈。骑着高头大马，一身戎装在街上招摇，是当年军头的最爱，他们中的好些人都有骑马的小照。当然，杨森也不例外，骑毕姨太太再骑上马遛一圈，是他每天的功课。当然，伺候马伺候好了的下人，也照例有赏——这回是给个参谋。所以，杨森身边除了"球秘书"，就是"马参谋"。

杨森的第四爱，是爱狗。这个狗，也是洋狗。对于中华土狗，他不仅不爱，而且每到一地，一定要命令士兵杀狗，杀得越干净越好。人们传说这是因为他姓杨，杨和羊同音，狗子可以吃羊，所以他要替羊出头。其实不是，他就是崇洋媚外，讨厌土狗。他的洋狗，跟外国人学，都有名字。他还喜欢给狗命以他崇拜者的名字，比如蒋介石、东条英机、罗斯福，都是他的爱狗的尊名。他还有一个大相册，上面都是他的爱狗的玉照，还有他跟狗的合影。

杨森其实只是窝在四川的一个土军阀，出身四川军官速成学堂，所谓的速成系。治军带兵远不及刘湘，甚至跟其他四川军头比，也不占上风。他最风光的时候，就是在吴佩孚的支持下，做过短时间的四川督理（即督军），随后就一天不如一天了。最惨的时候，只有几个县的地盘，还是人家可怜他，不斩尽杀绝，特意留给他的。为了防止士兵拖枪逃跑（四川地方偏，没有好武器，稍好一点儿的武器，都得进口），所有的机枪都统一掌控。甚至有人说，为了防止士兵逃跑，晚上睡觉大家都得脱了裤子光着屁股。

但是，杨森却是川中最洋气的军头，中国的东西，除了美女没有什么他能看上眼的。他不像其他军头，平时最喜欢穿的就是长袍马褂。他除了军装，就是西装，骑马，打网球，都有西式的专门服装。不仅如此，在成都的时候，还禁止人穿长衫，说是浪费布料，专门派人在城门口看着，拿着剪子，见有人穿长衫就给剪了。至于破除迷信、禁止缠足、禁抽鸦片，只要他有精力，都是会干的，只是效果一般都不怎么样，因为他是够洋的，他下面的人，都土得掉渣，执行严重不力。

杨森的"四爱"，其实就是"一爱"——爱西洋。其实，近代的军阀，包括杨森这种土鳖出身的军官学校学生，本身就是中国军事西化的产物。只是，除了枪炮之外，他们在军队上的西化相当有限，一身洋气的杨森，带兵、刮地皮、割据，却都是中国的土办法。田赋预征，整个四川除了刘存厚，就是他征得厉害。在他的治下，兵和民都苦。骨子里，杨森还是一个"封建"军阀。


## 侮辱总统


民国的北洋时期，是个媒体人做无冕之王的时代。其间，固然有像电视剧《那五》里演的那种借曝光讹人骗吃骗喝的记者，也有敢于主持正义、直言不讳的报人。当然，骂总统骂总理，也是家常便饭。如果报人在华界，当局还可能设法封他的报馆，而在租界，则基本上没辙了。

《时事新报》是"研究系"的报纸，系梁启超做主买下的。而《国民日报》，则是国民党人的报纸。"研究系"的前身，是进步党，进步党跟国民党在袁世凯时代是对头，但是时过境迁，到了第二届国会选举之后，两家都对当家的皖系政府多有不满。国民党此时已经是老在野党了，但是如果第一届国会还在的话，多少还可以借国会在政坛上发出一点声音来。第二届国会，则是"安福俱乐部"的天下，跟国民党一点儿关系都没有。"研究系"则更冤，这届国会的"瘦身"设计，原是他们的大手笔，结果选举的时候，却被皖系的"小扇子"徐树铮，活生生给玩下去了，只得了二十几个席位。所以，对于"安福国会"和当时的政府，两家报纸都在骂。

徐世昌被第二届国会选为总统，在国民党人看来是属于非法的。因为第一届国会的任期尚未完成，第二届国会是不合法的，不合法的国会选出的总统，名不正言不顺。所以，《国民日报》发了一篇文章，题目为《徐世昌是私生子》。意思是说，徐世昌这个总统，来路不明。平白给人骂为私生子，徐大总统不高兴。但是，《国民日报》办在上海的英租界，不能找人封报纸，只能请律师跟报纸打官司。由于此前这种事儿已经比较多了，所以，北京政府在上海请了洋人律师，专门打这种官司。一纸诉状告到英租界，说《国民日报》侮辱了中国的总统。白纸黑字，想赖也赖不掉。英租界的法官，判《国民日报》赔了200大洋。如果不认赔的话，可以坐牢。

没有想到，《时事新报》也转载了这篇文章，而且是在娱乐版转的。那个洋律师食髓知味，闻着味儿把《时事新报》也给告了。可是，手下的助理却忙中出错，《时事新报》是在法租界注册的，洋律师的助理却到英租界把报纸给告了，传票由英租界的巡捕房送来。

当时的《时事新报》，经理是张云雷，一个国会议员，主编是张东荪。张云雷抓住洋律师的这个失误，给法租界的人下蛆，说这个律师看不起法国人，硬让英租界来管法租界的事儿。我们知道，法国和英国原本就有隔阂，在中国的法国人醋劲儿一直都很大，对英国的老大地位很是不满。这么一下蛆，等到官司在法租界法院开庭的时候，法国人就一屁股坐在了《时事新报》一边，派出律师帮着打官司。法租界当局的律师对那个替北京政府办事的洋律师说，张云雷是国会议员，按中国的法律，国会议员不经国会同意，是不能随意控告的，你经过中国议会同意了吗？如果你还要坚持提告，那么请去北京跟中国的国会商议之后再说，如果国会同意，我们得把张云雷请来，来回的费用，需要你来支付。

洋律师替北京政府做事，本是要挣钱的，看这个架势，先要搭上很多钱，而且还没有把握赢，赔本的生意不做，于是就打了退堂鼓。就这样，《国民日报》骂总统，搭上了200大洋，而《时事新报》连一分钱的血都没出，骂也就白骂了。洋律师不告了，北京这边总统府也徒呼负负，什么辙也没有。

在北洋时期做大官，即使贵为总统，也是个糟心的事儿，脸皮要足够厚，肚皮也要足够大，用来装气。徐世昌是从晚清报禁打开的时候做大官的，挨骂已经有点儿习惯了，装着看不见就是。


## 镇嵩军的覆灭


在历史上，河南人和陕西人很是有点儿纠葛。我一个在西安生活的河南籍朋友跟我说，小时候问西安的小朋友，三座大山是什么？答曰：美帝、苏修、河南人。在西安的河南人，一直都有点儿抬不起头来的感觉。

据说，积怨来自1926年镇嵩军围困西安，一围就围了八个月。守西安的是李虎臣和杨虎臣两位将领，其中，杨虎臣起了最主要的作用，以至于解围之后他的名字都改了，叫杨虎城。提到这个人，大概稍微有点儿近代史常识的都知道，不知道他守城，总知道他和张学良发动西安事变吧。杨虎城守西安，名满天下。当年著名的守城将军有四位，但守得时间最长，熬得最为艰苦的，还数杨虎城，整整守了八个月，西安城里的百姓，差不多都饿死完了。真是"功满三秦，罪满三秦"。

当然，这事儿当时没有多少人怪罪杨虎城，要怪就怪镇嵩军。镇嵩军是河南人的军队，所以，算是河南人"欺负"了陕西人。

镇嵩军是刀客的底子，缘起还是辛亥革命。豫西这个地方，出刀客。所谓刀客，就是土匪。晚清的土匪窝有那么几个，一个是鲁南，一个是广西十万大山，一个是湘西，再一个就是豫西。这种地方，民和匪有点儿分不清。不过至少在当地，即使做了土匪，也不大会乱来，还是盗亦有道，讲规矩的。

晚清的革命党闹革命，喜欢拉帮会和土匪，所以，革命一起来，豫西的大股刀客王天纵，就成了革命军。袁世凯做总统，整理各地的革命军，七弄八弄，原来革命军的首领张钫被迫离开，而这支军队落到了刘镇华手里。

刘镇华原是一个新派的文人，算起来，也参加过同盟会。但是，在袁世凯治下，他转得比较快，但革命党人张钫他们，也能接受他。在白朗流窜北方数省，袁世凯的北洋军围追堵截都奈何不了他的时候，最后割下了白朗的头献给袁世凯的人，居然是刘镇华。

刘镇华是民国史上著名的滑头，所谓的"三雪"之一（他的字叫雪亚），却是一个见机较早、转得快的滑头。北洋时期，北京城头频繁变幻大王旗，每次他都跟得比较紧，而且及时。最奇特的一次，他带着镇嵩军在陕西做省长，原本跟皖系关系不错。然而，皖系垮台，陕西督军换了为人苛刻的冯玉祥，他依旧做他的省长。冯玉祥喜欢俭朴，他俭朴；喜欢清洁，他清洁；要厉行禁烟，禁止缠足，他上街领人带头贯彻；非常及时地把冯玉祥每个重要讲话都变成标语，贴到大街上。所以，冯玉祥对陕西好多地头蛇都严厉镇压，唯独高看一眼刘镇华，口口声声说他是个好同志。

都说河南人"欺负"陕西人，但也有陕西人"欺负"河南人的时候。第二次直奉战争，原来由陕西靖国军演变的胡景翼部队，跟着冯玉祥倒了吴佩孚的戈，摇身一变成了国民二军，成了河南的主人。当年河南的地盘，收益要比陕西好些。陕西人占着河南，而河南的镇嵩军却在陕西，镇嵩军曾经尝试打回河南。镇嵩军的悍将憨玉琨与胡景翼一场大战，结果镇嵩军败了。败了以后的镇嵩军，又散为刀客。等到冯玉祥跟奉系闹翻，东山再起。

陕西人组成的国民二军，原来的底子是陕西的刀客，所以，纪律跟冯玉祥的国民一军没法比。河南人恨他们入骨，到处组织红枪会，与国民二军为难。所以在跟再起的镇嵩军作战时，居然一败涂地（此时胡景翼已经死了）。其中的国民二军的李虎臣，就是只身逃回西安的，如果不是成建制的杨虎城一个师的军队及时赶到，单凭李虎臣那么点儿残兵，无论如何，西安是没法守的。

刘镇华见风使舵是里手，但攻城拔寨却不怎么行。围攻西安，围了八个月，一直到冯玉祥五原誓师杀回来，围城的镇嵩军被打了个稀里哗啦。十万大军折了一半，退回到了河南。

刘镇华审时度势，发现唯一的出路是投降冯玉祥。冯玉祥给了镇嵩军十万块大洋。镇嵩军的将领们觉得，这个冯玉祥实在太抠门儿了，就惦记着去投奉军张宗昌。跟张宗昌一联络，人家马上送来二百万。刘镇华知道尽管张宗昌钱给得多，但是靠不住。可是，他麾下的将领们却有一大半不听他的。倒戈的结果，搭上了冯玉祥派来监视他们的爱将郑金声，张宗昌为了让投过来的镇嵩军死心，一枪把郑金声给毙了。由此种下了后来张宗昌下野回山东、被韩复榘假借郑金声儿子为父报仇暗杀他的种子。

镇嵩军一分裂，大部分的军队随着张宗昌的失败而消散，剩下点兵也不成气候，先归冯玉祥，后投阎锡山。在冯阎谋划反蒋的前夕，刘镇华看出来冯阎不是老蒋的对手，事先出国避祸去了。剩下的部队交给弟弟刘茂恩，在中原大战开打前，投了蒋介石。镇嵩军这个名号，从此在江湖上就消失了。

## 小徐大练兵

小徐就是徐树铮，而老徐则是徐世昌。尽管徐世昌做过民国的总统，但在当年，小徐可比老徐能折腾事儿。

小徐本是文人，正经秀才出身。秀才当兵，在新政时期不是新鲜事，南方新军里还有举人呢。只是北洋军里的秀才一般都做记室，类似于后来的文书。只有吴佩孚瞒了身份，才从大兵做起，后来身份暴露，依旧被保送进了军校。小徐当年在段祺瑞的部队里，就是做记室的。做记室的人是可以不出操的，枪都不用扛。可是，段祺瑞发现，这个徐树铮跟别人不一样，不仅喜欢弄枪，而且天天跟大兵一起出操，一口气跑几十里都不嫌累。

段祺瑞注意到了小徐之后，交谈之下，发现此人真是有才，出口成章，下笔倚马可待，而且对于军事说起来也头头是道。段祺瑞虽说文化水平不高，淮军世家，北洋武备生，到德国留学一回也没学到什么东西，却有一颗爱才的心。就这样，在段祺瑞的保荐下，小徐去了日本，官费读了日本士官学校。

一个文人，进日本士官学校能读下来不容易，不仅要吃苦，而且还要挨揍，能挺过日本军曹的毒打虐待，才能变成士官生。就这样，从士官学校毕业之后，文人小徐变成了小徐将军。

由于段祺瑞太爱小徐了，所以小徐升迁之快，逾于他所有的同学。进入民国之后，段祺瑞做陆军总长，小徐就做了次长。由于过于聪明，处处显摆，锋芒毕露，袁世凯很是不喜欢这个秀才将军，但是架不住老段偏心，还就是拿不下他。

久在机关的小徐，其实最爱的还是练兵带兵。早在1918年，段祺瑞对南第一次用兵受挫之后，小徐兴风作浪，透露消息，让奉军劫了中央政府一大批足以装备几个师的军火，捞了一个奉军副总司令的头衔。他一边利用这个头衔调兵遣将，一边利用劫来的部分军火编练了两个旅，这是他练兵的第一个尝试。张作霖是个小心眼儿的人，不喜欢别人调他的兵，当然把劫来的军火都看成是自己的，所以，他取消了小徐副总司令的名义。但这两个旅，却留了下来，一个被王永泉带领去了福建，还有一个留在北方，成为西北军的种子。

小徐大练兵，是编练参战军。参战是在协约国一方，参加"一战"。编练参战军是个大工程，原本归段祺瑞门下"四大金刚"之首的靳云鹏负责，但不知小徐怎么折腾的，把靳云鹏挤走，归了他。

编练参战军是政府的大事，但是，小徐干这个，还有个带着私活儿性质的夹带——编练西北军。编练西北军，是为了收复外蒙。外蒙的独立，原本就是沙俄弄出来的。十月革命，沙俄政府倒台，新生的苏维埃政权一时也顾不到这里，于是，收复外蒙就是一个可能的事了。在1919年2月，小徐充实那一个旅的时候，外蒙已经取消了独立。但要想收回来，还是得派兵去。为了这桩事儿，小徐得了一个西北筹边使的头衔，可以管的地方特别的大，但是当时能做的，还是练兵。

编练参战军的事儿一开头，这边"一战"已经结束了。但是事儿却没有停下来，只是改了个名，叫边防军接着编练。而小徐的私活儿，也就变成了西北边防军。

徐树铮的西北军，计划编练八个混成旅。但是到直皖开战，只练成了四个半，那半个只有一个团的新兵。西北军几乎就是参战军的摹本，但不同的是，没有日本教练。跟参战军一样，西北军特别重视学历。旅长团长，不是中国陆军大学毕业的，就是日本士官生，还有留学德国法国的"海龟"。90%以上的尉官，都是保定军校的毕业生。只有个别的部队，军官是从冯玉祥部队中借调的。士兵中能识字的，比例也相当的高。西北军的军官，不仅要进行军事训练，而且还要写文章，每两周交一篇文章，由徐树铮审看。小徐自我感觉能文能武，所以麾下的军官也得这样。

跟其他北洋军队不一样的是，西北军废除了"等因奉此"的旧式公文，代之以"日日命令"。而且，西北军取消了体罚用的黑红棍，不许体罚士兵。士兵犯了错，只能关禁闭。而当年，即使所谓爱兵如子的吴佩孚和冯玉祥都做不到这点，带兵，动辄军棍伺候。

西北军的最大功绩，是在1919年10月进军外蒙，把外蒙残存的独立势力收服，将白俄军队打跑。只是，还没有来得及经营外蒙，局势发生了变化——直皖大战之后，皖系垮台，西北军皮之不存毛将焉附，苏俄卷土重来，在外蒙的一个旅自然站不住脚了。

总的来说，小徐练兵，时间太短，满打满算，不过半年多一点儿，此公好多想法，都没来得及落下来。跟参战军改编的边防军一样，新兵和新出校的军官组成的部队，没经过战阵，就碰上劲敌，真是靠不住，加上主帅又是饭桶，仗还没怎么打呢？稀里哗啦，就完了。

# "安福俱乐部"与"清吟小班"

　　"安福俱乐部"是徐树铮张罗起来的一个近似于政党的团体，后人一说到皖系，肯定会提及它。皖系不是一个单纯的军人集团，里面还有大批的政客，政客的组织，就是"安福俱乐部"。俱乐部设在北京安福胡同的一个梁宅里，不是主人姓梁，而是取杜甫诗句"醉舞梁园夜"的那个意义上的梁宅，一个吃喝玩乐的场所。

　　徐树铮张罗这个俱乐部，就是为了第二届国会的选举，他要让这个俱乐部的政客居这届国会的多数。在"府院之争"那阵儿，作为国务院秘书长的徐树铮吃尽了国会的苦头，第二届国会，他一定要能控制。为此，在选举中，他极尽纵横捭阖之能事，直接给各省督军密电，一定要他们保证"安福俱乐部"的人当选。这样操纵的结果，原来信心满满的梁启超"研究系"的人，大多都被玩下去了，"安福俱乐部"的人果然成了国会两院的多数。

　　虽说徐树铮号称"小扇子"，足智多谋，但对于西方的政党政治，却没有半点儿知识。他办政党，就是凭给好处，聚起人来吃喝玩乐搞成一个所谓的团体。得到国会议席的，当然是"安福俱乐部"的成员，没有得到的，也可以来蹭吃蹭喝蹭玩。但是如果徐树铮想要他们干点儿什么，光发指令不行，还得另给好处，钱不到位，这帮议员大爷就不投票。把徐世昌投成大总统，是给了钱的，但说好了选曹锟当副总统，徐树铮一时疏忽忘了给钱，而曹锟也一毛不拔，结果人家就不投票了。

"安福俱乐部"说是政党吧，没有政纲，没有固定的组织，说不是吧，人家还就是玩政治的。能聚起人来，全靠梁宅的免费招待，梁宅里，几乎天天叫条子（请妓女出台），吃花酒——开赌局。当年的两院议员，由于家眷大多不在北京，工资又高，都是八大胡同的常客，这样一来，连嫖资都省了。

当年北京像样的妓院，虽说都在八大胡同，但最高档的是"清吟小班"。清吟小班，一色的苏州来的妓女，人称"苏妓"，个个色艺俱佳。民国政坛的要人，加上各大银行的豪客，都是清吟小班的座上客。而因第二届国会选举登上政治舞台的"安福俱乐部"，自然成为清吟小班里的新客人，叫条子的多，逛胡同的也多。来得最多，而且经常独占花魁的人，就是徐树铮。

粉碎张勋复辟之后的中国政坛，是皖系的天下。由于参战（参加第一次世界大战），原来的庚子赔款暂停支付，日本又给了好些贷款，所以这一时期的北京政府，相当有钱。政府有钱，流向八大胡同的钱就多，这是一个规律。所以，这一时期的清吟小班多达七十余家，其中最棒的，当属老资格的庆余堂。庆余堂的班主是盛宣怀的大厨，一个上流的清吟小班，不仅妓女要年轻漂亮，做的菜也须是一流的。让嫖客们兼有眼福、肉福，还有口福。那个时候，政客们议论国家大事或者说纵横捭阖的场所，在某种意义上不是他们的办公室，而是清吟小班。政客们议论政事，也从来不避妓女。所以要想走门路，不用去别的地方，只需到清吟小班即可。

段祺瑞当政的四年，是清吟小班的黄金时代，段祺瑞权势熏天，深受老段信任的徐树铮也权势熏天。老段没有逛胡同的爱好，但小徐有。小徐风流倜傥，在好色上自然出类拔萃。好的清吟小班的头牌，只要小徐在，都得围着他转，即使是别人的相好，小徐看上了，对方都会识相地让出。连梁士诒这样的财神，曹汝霖、叶恭绰这样的交通系大佬，见了小徐都退避三舍。小徐在政坛上霸道，在八大胡同也霸道，看上了庆余堂头牌的清倌人，给人开苞，也不按规矩来，先上车后给钱。而且还先后娶了三位清吟小班里的红姑娘做姨太太，其中的一个叫苏芸仙的名妓，特别对他的胃口。小徐风雅，自命是"顾曲周郎"，好一口昆曲，没事儿就哼两声。但小徐是苏北人，口音不准，而苏芸仙是苏州人，京昆不挡，都会。所以，自打娶了苏芸仙之后，小徐的昆曲水准突飞猛进。后来他去英国访问，在大学里讲中国戏曲引起轰动，这里面也有清吟小班的红姑娘的一份功劳。也就是因为这个，徐树铮的书房任谁都不能进，但苏芸仙却什么时候都可以进。徐树铮那个时候一肚皮的鬼点子，谁知道有没有苏芸仙的份儿。

后来，徐树铮倒台了，家都被抄了，清吟小班的红姑娘也走了。政客红的时候，娶了清吟小班的红姑娘，倒台的时候，红姑娘还回小班重操旧业。青楼和政坛，就这样来来回回，在浅斟低唱中送往迎来。政治脏归脏，但情色浓浓。

# "长腿将军"杀记者

在北洋时期，当政的军阀，虽说想不出控制媒体的办法，但是，如果媒体报道了他们不喜欢的事儿，或者骂了他们，也是会生气的。笨一点儿的，直接派一队大兵去把报馆砸了，聪明一点儿的，则用便衣把人给抓了。只是，抓人之后，一般都会有社会闻达前来说情，卖个面子，也就放了。至于办在租界里的报纸，无论怎样，军阀都没有办法。绝少听说，哪个记者被杀的。所以当年的记者，有些人如林白水，特别的毒舌，骂起人来，直言不讳，入木三分。好些军头恨他恨得牙根痒痒，但也没有太多的辙。

但是，北洋时期的最后两年，是奉系当家的时代。有一段时间，控制北京的是直鲁联军的张宗昌。媒体的好日子，到头了。如果说奉军是胡匪的底子，那么，张宗昌这伙人就是流氓加马贼的团伙。他们对于媒体只有一招儿：看不顺眼，就杀人。当然，张宗昌大字不识几个，从不看报，消息都是依附在他们身上的文人递的。

最先触霉头的，是《社会日报》的林白水。林白水是有名的毒舌，胆儿大，不知避讳，骂起人来非常刻毒。好多政要包括段祺瑞，都挨过他的骂。当时，无耻的政客潘复，攀张宗昌的关系做了总理。潘复是北洋政客中格调很低的一个人，他做了总理，林白水不能不骂。于是，《社会日报》就登了一篇林白水亲自写的文章——《智囊与肾囊》，说古代强人都有智囊，而潘复则只能算是"长腿将军"的肾囊，即卵袋。张宗昌个子大，腿长，除了"狗肉将军"之外，还有一个外号，就是"长腿将军"。

潘复看了报纸之后，恼怒异常，径直把报纸念给张宗昌听，张宗昌马上下令宪兵司令王琦拿人枪毙。林白水被捕之后，北京的新闻界也马上营救，但是，一大帮人找到张宗昌，磨得时间久了些，等张宗昌肯下手令放人的时候，那边王琦已经把人给毙了。一代名报人，就这样做了长腿将军的枪下鬼。也有人说，这就是张宗昌做的局，一边让人行刑，一边跟这些社会名流周旋。不过，依张宗昌的德行，这样的弯弯事儿他是做不来的。毕竟，林白水骂的是政客，他又看不起这些政客，下令抓人枪毙，不过是给潘复一个面子，更多人需要给面子了，他也会让步的。只是林白水太毒舌，得罪人多，尤其是军头太多，所以，王琦明知道会有人去说情，却迫不及待地把人给枪毙了。

接下来触霉头的，是《世界日报》的社长成舍我。也不知怎么回事，《世界日报》有一条消息不合张宗昌帐下某个文人的意了，于是，张宗昌就派京师宪兵司令王琦把成舍我抓了。不过还好，成舍我平时不够毒舌，跟王琦也没有什么宿怨，所以，抓了之后没有马上枪毙。趁这个空，新闻界众多的好事者鉴于林白水的前车之鉴，紧急动员，跑到宪兵司令部去求情。成舍我的夫人，还找到了曾在在袁世凯时代做过总理的孙宝琦。孙宝琦专门写了一封信给张宗昌，为成舍我说情。张宗昌也是打晚清过来的人，虽说流氓，但对当年的大人物还有几分尊敬。孙宝琦在辛亥年做过山东巡抚，张宗昌是山东人，孙算是他的父母官。这个面子，不能不给，于是张宗昌亲自写了一个条子：速将成舍我一名交孙总理查收。就这样，连收条带人就都送给了孙宝琦。成舍我总算没事了，走出牢笼之后，速速离开北京。

在此之前，张学良因"通赤"的理由，已经杀了《京报》的名记者邵飘萍。杀戒一开，报人倒霉，但奉军的名声也跟着大坏。即使建立了安国军政府，张作霖过了一把大元帅的瘾，椅子也坐不久了。

# 小记者扒上了蒋介石的专列

　　《大公报》在民国，名头很响，吴鼎昌出钱，胡政之出人，张季鸾出笔，三人同心，标榜"不党，不卖，不私，不盲"，后来居上，竟然把老资格的《申报》比下去了，成为举国瞩目的第一号大报。张季鸾一支笔横扫天下，其动向，可以左右全国的舆论。在当年，无论政要、商贾还是军旅人士，每天不看张季鸾的社论，就没法做事。国民党取代北洋一统天下之后，《大公报》对这个来自南方的政府一直是有批评的。以本心而论，国民党尤其是当家人蒋介石当然喜欢控制舆论，但是，国民党力有不逮，在刺杀《申报》老板史量才之后影响特坏，不得不有所收敛。所以，对《大公报》逐渐采取怀柔政策，跟《大公报》"三巨头"的关系，也渐渐好了起来，尽管批评的文章还是有，有时甚至相当的尖锐，甚至还能通过曲笔（比如范长江的《中国西北角》）报道红军的状况。其独立性大体还能保住，也正因如此，这份报纸赢得了包括蒋介石在内的众多国民党人的尊敬。

　　《大公报》的记者，是当年媒体界薪酬最高的记者，也是最能干的记者，他们总是能够挖到别人挖不到的材料。在蒋、冯、阎"中原大战"之前，《大公报》记者徐铸成，在太原竟然能发现原来被阎锡山软禁的冯玉祥被悄然放了出来，而他居然能在严密封锁的情况下，用明码电报，把消息传给了报社。消息见报之后，明白人马上恍然——蒋与冯、阎的大战就要开打了。

我今天要讲的，是另外一位《大公报》记者的故事。这位记者，名叫汪松年。1931年"九一八事变"之后，坐镇华北的张学良因为不抵抗，遭到全国舆论的痛骂。然而，一年多之后，1933年初，日军进攻热河，张学良的部下汤玉麟不战而逃，丢了热河全境，再一次把张学良扔进了舆论的漩涡。这回，不单是报纸骂街了，国民党政府的监察院也对张学良提出了弹劾。于是，这年的3月7日，张学良不得已宣布下野，"出国考察"。遗下的军事委员会北平分会委员长一职，由何应钦兼任。

何应钦虽说在国民党内向有"武甘草"之称，为人平和，善于跟各方面搞好关系。但是张学良留下的烂摊子太大，也太乱，里面既有东北军各支派系不同的部队，也有阎锡山的人，还有冯玉祥的旧部，一时间难免摆不平。所以，这年的秋天，不得不烦劳蒋介石亲自出面，到北平协调各方。

《大公报》在得知这个消息之后，听说蒋介石在来北平之前要在邯郸暂住几日，于是就派出汪松年前去采访。张季鸾特意为此事写了一封介绍信，给蒋介石的秘书长杨永泰。汪松年拿着这封信登上火车，就去了邯郸。火车走到宝坻的时候突然停了下来，汪松年费了点儿周折打听到，原来是老蒋的专列要从这里经过，特意为它让路的（保密工作做得太差）。汪松年没有一刻犹豫，马上跳下火车，直奔老蒋的专列，三下两下，居然摆脱守卫到了车门口，掏出那封介绍信，给卫兵晃了一眼，说是特意来见杨秘书长的。没等卫兵反应过来，人已经上车了。

上车之后，已经在负责蒋介石安全保密的戴笠和蒋介石的侍卫长王孝和，把汪松年拎了过去，审了半天，但是由于有张季鸾的信，加上汪松年应对得体，居然让他们都释然了。最初怀疑汪随身带的手提包里有炸弹，但经汪解释之后，甚至连搜一下的例行公事都没做（估计是怕汪感觉不受尊重），就信了他。在车上，杨永泰跟汪松年谈了好一阵儿。从此以后，自杨永泰和王孝和以下，蒋介石身边的人都认识了这个胆大妄为的小记者，一路绿灯，接下来对蒋介石的采访进行得相当的顺利。

后来，杨永泰见到了胡政之，说你们那位姓汪的记者太厉害了，我从来没听说过，有哪个记者能在半途爬上蒋老总的专车的！

能有这样胆子和技巧的，在当年也只有《大公报》的记者。作为记者，他们的确有两下子，但他们能做到这一点，跟《大公报》的声望，跟当年媒体的环境，都不无关系。张季鸾的面子大，但这个面子，既不是他从娘胎里带来的，也不是他跟哪个大人物有特别的关系。

## 朱家骅砸报馆

北京的《晨报》，是由《晨钟报》转化来的，原来是梁启超、汤化龙等人当家的进步党的报纸，后来进步党没了，报纸依旧跟原进步党，后来的"研究系"中人关系密切。总体来说，还算是一份秉持新闻中立观念的报纸，在军阀混战和党争中，尽可能持中立立场。孙伏园主持《晨报副刊》的时候，鲁迅的《阿Q正传》就是在上面连载的。依孙伏园的意思，这部小说是要写成长篇的，但是在孙伏园去休假期间，鲁迅写烦了，就早早让阿Q被枪毙了。

进步党在民国初年，跟国民党有点儿过节。那时的国民党，第一恨的当然是袁世凯和北洋系，其次就是进步党。只是后来时过境迁，两边的梁子虽然没有彻底解开，但原来两边的人马，也曾在讨袁、反对张勋复辟等事件中合作过。但是，当国共合作，国民党再一次东山再起之时，两边原来的大佬又开始互相看不上了。其实，《晨报》的态度还算好，虽说对国民党也有那么点儿的批评，但主要的批评火力却只是冲着军阀去的。"研究系"这帮绅士即使批评，无论对谁都态度温和，不温不火，点到为止。不像林白水的《社会日报》和邵飘萍的《京报》那样，动辄骂街，把脐下三寸那点事儿挂在报纸上。

1925 年，孙中山北上跟段祺瑞会晤。此时的孙中山如日中天，在北方的进步学生和知识分子中有很高的声望。但不幸的是，孙中山肝癌病发住进了协和医院。孙中山的病情，成为进步知识界每天关心的头等大事。《晨报》跟协和医院有着良好的关系，可以每日从医院得到孙中山最新的病况，第二天登出来，因而销路大增。

但是，《晨报》登载孙中山的病情，只是将之当作一个热点新闻对待。每日的孙中山病况只是刊载一则消息，标题就是"孙文昨日病况"，每天如此。尽管在那个时代直呼其名在人际交往之中，算是一种不敬，礼貌一点儿应该称为孙中山先生，或者孙逸仙先生，但是民国的报界对大人物直呼其名已经成为习惯，从来都是孙文孙文的叫。

然而，1925 年的孙文，跟此前的孙文大不一样了。孙中山的崇拜者们，已经没法接受《晨报》的不敬，于是抗议声接连不断。《晨报》一概不理，照旧说它的"孙文昨日病况"。终于，在孙中山死了，暂时厝葬于西山，诸事告一段落之后，祸事来了。这年的初冬时节，国民党的北方领袖人物之一，时在北大任教的朱家骅，带领了几百人浩浩荡荡来到了《晨报》所在地的顺治门大街，来砸报馆来了。《晨报》的工作人员见状，只能一边报警一边逃跑。朱家骅是国民党有名的文人，但是十分勇武。这也是国民党的传统，当年在日本的时候，梁启超的保皇党人只要一开会，国民党的前身同盟会中人如张继等，闻讯抢起枣木棍就去打砸，打得梁启超们抱头鼠窜。就这样，报社被砸了个稀巴烂，损失惨重。朱家骅们还意犹未尽，找来煤油，打算一把火给烧了。当年北京的房子防火性能都不高，真要是烧了，说不定就烧开了，邻居倒霉。于是，在场的警察和居民一起阻止，总算火没烧起来。

当时控制北京的是冯玉祥的军队，冯玉祥跟国民党很是亲近，所以，朱家骅们可以肆无忌惮。但是，打砸完之后，北京的大学里好些人，对朱家骅这么干很有些不以为然。过了没几日，《晨报》居然又复刊了，之后对国民党更不敬了。一直到1928年，国民党进入北京，《晨报》知道没好果子吃，发表《告别读者书》，自动停刊。

看来，国民党跟北洋军阀就是不一样，对报纸言论的容忍度，在还没有上台之前，已经就很有限了。

第四章 点点滴滴藏着历史

# 汪精卫能平反吗?

汪精卫这个人,人缘一直不错。在国民党内,声誉就更好。记得他离开重庆进入沦陷区之后,听到这个消息的国民党元老发出的都是惋惜之声,大家说,卿本佳人,奈何做贼?长相标致的汪精卫,无论相貌还是为人,在当年就是"佳人"一枚。

国民党败溃大陆之后,关在南京老虎庙监狱的汪精卫夫人陈璧君,被国民党丢给了共产党。老朋友何香凝等人替陈璧君求情,想要共产党人放了她。共产党答应了,但需要陈璧君签一个认罪书。陈璧君坚持不签,她说,南京汪政权的每一寸土地都不是汪先生出卖的,他们不是卖国贼。

这话当然也不错,的确汪伪政权的辖境,没有哪块土地是汪精卫他们卖给日本人的,都是抗战中沦陷的。但是,没有出卖国土,不等于汪精卫他们就没有罪过。在侵略自己国土的侵略者放弃侵略之前,跟侵略者合作,作为执政的国民党副总裁,这本身就是投敌行为。无论有怎样的理由,都无法为其开脱。汪精卫是国民党领袖级的大人物,不是沦陷区的乡绅。乡绅为了让乡里少受一点儿祸害，跟日本人合作，其实是可以理解的。而沦陷区秩序恢复之后，那里的民众，包括一些商人，一般公务人员，依旧做自己的买卖，上自己的班，其实也无可厚非，总得让这些普通人吃饭吧。但是，汪精卫作为国家的领袖级人物，这样做是绝对不行的。在民族国家体系崩解之前，跟侵略者合作的行为，就是投敌卖国，行为跟法国的贝当，没有本质的区别。

当然，汪精卫这样做，倒未必是从一开始就安了投敌的心。他这样做，跟他对形势的判断有关。他在抗战爆发前，就是"低调俱乐部"的领袖。他认为按实力对比，中国绝对打不过日本，这也没大错。但是，中国幅员辽阔，回旋余地大，战争爆发，可以利用空间换时间，与日本周旋，等待国际形势的变化。只要日本跟英美发生冲突，中国就可以搭便车了。汪精卫只看到前面，却不相信后面的事儿有可能变成现实。这样的形势判断，使得汪精卫倾向于接受只能跟日本妥协，才能避免中国彻底毁灭的看法。

然而，全面对华开战之后，其实日本政府包括一部分的军方人士也很纠结。占领了大片的中国土地，但是，日本所需要的最重要的两种战略物资——石油和富铁矿石中国却没有。跟中国打仗，越是投入多，资源消耗越多，却无法补充。由此引发的日美关系的紧张，直接危及这两种战略物资的供给。那个年头的战争，就是打钢铁，打石油，再在中国的泥潭中陷下去，这对日本是相当危险的。所以，日本政府一直在寻求跟中国讲和，也好抽身。其实，在汪精卫开始他的"和平行动"之前，蒋介石也在通过德国大使跟日本人接触。但日本人跟蒋介石谈不拢，转而找到汪精卫。日本政府方面，给汪精卫开出的条件相当诱人，只要承认满洲国，他们可以退出山海关之外，也就是说，抗战以来的沦陷区都退还了。当汪精卫的人拿这事儿问深谙日本的周作人时，周作人认为，日本政府的承诺不可靠。但是陈璧君却认为靠谱，而陈璧君对汪精卫的影响力是众所周知的，于是，汪精卫就一步步上了贼船。

对于蒋介石来说，自始至终他都不能说不了解汪精卫的行动，但是，他却没做什么来阻止这个老搭档。在国民党内，蒋介石的实际声望始终逊汪精卫一头，辛亥革命的时候，汪精卫因刺杀摄政王而名满天下，蒋介石才是陈其美的一个马仔。汪精卫的离开，也许正中蒋介石的下怀。汪精卫出走河内时，军统派人去暗杀，却犯了非常低级的错误，像是在赶他们走，越早去上海越好。

而到了上海的汪精卫，却发现日本人变卦了。侵略中国，原本就是陆军少壮派军人鼓捣出来的。而日本的文官政府根本管束不了军人，陆军少壮派军人，当然不肯把吃进嘴里的鸭子吐出来。于是，原来的承诺就变成了一张废纸。原来跟着汪精卫的陶希圣和高宗武，就此退了出来。到了这个地步，如果汪精卫从此罢手，虽说生命会有危险，但名声肯定是可以保住的。然而，人犯大错，每每是小错积累起来的。没有了后路的汪精卫，决定毅然决然地走下去，把自己的投敌坐实。由此被钉在历史的耻辱柱上，一点儿也不冤枉。原本，在汪精卫出走之前，跟龙云等地方实力派是有联系的，如果日本真能兑现原来的承诺，龙云的跟进，也是可以期待的。但是，日本人一旦变了卦，龙云也就别指望了。

## 艺人不懂政治

虽说京剧的兴起，可以推到乾隆年间的徽班进京，但实际上京剧成气候还是在晚清，如果没有一个没什么文化、看不懂昆曲的老佛爷西太后，京剧到底能成多大名堂，还不好说。进入民国之后，大清完了，但京剧的繁荣却得以持续，攀升到了顶点，其标志之一，就是梅剧。没有梅剧，即梅兰芳的表演，京剧不会成为老外眼中的 Peking Opera，获得国际的认可和名声。

事实上，进入民国之后不久，看梅剧，已经成为来华游历的老外一个必须做的项目。不看梅剧，就不算到过中国。京剧能为老外所喜欢，齐如山、李释戡等若干喝过洋墨水的文人，功不可没。经过他们的参与，梅剧不仅雅了，而且多少有了点西洋歌剧（Opera）的味道。迷倒了欧美老外的梅剧，当然也迷倒了来华的一干日本文人和记者。

日本文化跟中国文化，毕竟有血缘关系。日本的能、狂言和歌舞伎，或多或少，跟中国的传统戏剧能找到某些相通的地方。日本人欣赏京剧，不会像西方人那样多半出于猎奇，他们真能看进去。在北京《顺天时报》的名记者辻听花，是个中国通，也是一个超级戏迷，写出的戏评，文字地道，点评到位。《顺天时报》在北京办菊榜和花榜，即排梨园行和妓女的名次，特别的有名。主持者，就是辻听花。因为这个，梨园行和八大胡同都哈着他。花榜另当别论，他张罗的菊榜，在当年真的很内行，让人不服不行。据说，他写的《中国剧》一书，具有专业研究水准。日本国内以青木正儿为首的一干研究中国戏剧的学者，经常得向辻听花请教。

梅剧受老外的欢迎，激起了梅兰芳和梅党走出去的雄心。当年京剧实际上是可以到朝鲜的平壤和汉城演出的。尽管言语不通，但使用汉字的地方，完全可以欣赏京剧，只需把字幕打出来，朝鲜的上层人士就能看懂。事实上，当年也的确有人到朝鲜演出。时不时地走回穴，收益还不错。朝鲜可以，理论上使用汉字的日本，也是可以的。

曾经是京剧演员，现在为日本的大学教授的袁英明女士，花了十几年的工夫，把梅兰芳两次出访日本的前前后后的经过，爬梳了一遍。据她的研究，早在 1916 年，梅兰芳访日这件事就在酝酿了，一直到 1919 年的 4 月总算成行。在这期间，访美和访问欧洲也在筹划，但作为走出国门的第一步，梅兰芳选择了日本。

选择日本，在很大程度上跟一个日本财阀有关。此人叫大仓喜八郎，是个日本排在前列的财阀，产业横跨各个行业，还是个大军火商，同时，也是个日本传统戏剧的爱好者，拥有顶级豪华的东京帝国剧场。此人跟中国各界头面人物都有交往，从袁世凯、黎元洪、段祺瑞、冯国璋、曹锟，到革命党人孙中山、黄兴、汪精卫、廖仲恺和胡汉民，都跟他打过交道。一个偶然的机会，经日本文学家龙居松之助的介绍，来华的他看了一场梅剧《天女散花》，马上变成了梅剧迷。只是在见到梅兰芳本人之前，他一度固执地认为梅兰芳是位女士。

原本，中国国内第一号梅党、中国银行的总裁冯耿光，已经打算资助梅兰芳访日。一直没有行动是因为，尽管有朝鲜的先例，但是，毕竟日本人还没有接触过京剧，梅兰芳在日本也没有什么名气，演出能不能有观众都不好说，更谈不上挣钱了。但是，懂戏的财阀大仓的出现却改变了一切。以大仓的眼光，梅剧在日本肯定是有市场的，只要宣传到位，上座有一定的把握。因此，单单从商业上的考虑，大仓就开始积极促成梅兰芳访日演出，开出的价码是在他的帝国剧场演出一个月，五万包银。其他地方的演出另算。

按当时的物价，五万元是大数目了，即使到最富庶的上海，走穴一遭也拿不到这么多。有了大仓的保证，梅兰芳的访日实际上就变成了一次商演。后来的事实证明，大仓作为商人的眼力是非常毒的。梅兰芳访日演出大获成功，大受日本人的欢迎。尽管日本中等以上的市民，每月收入平均不过三四十元，但梅剧的票价却达到了前所未有的高度，此前无论是英国人还是俄国人，都没有赶得上梅兰芳。帝国剧场特等座10元，四等座也需要1元，其他地方的票价虽比帝国剧场略低，但在当地也是高得吓人。但是，在整个演出期间，除了一天四等座有7个空座外，场场爆满。很多人是追着梅兰芳走，看了一场又一场。就这样，还难以满足观众需求，不得不加演。

梅兰芳第一次访日演出，是1919年4月21日从北京出发，坐火车经东北和朝鲜，25日抵达日本，前后40天，于5月30日返回北京。这期间，对于中国人来说，恰好是一段惊心动魄的日子。

1918年11月第一次世界大战结束，原本多数不同意参战的中国上层人士，发现自己变成了战胜国的一员，欣喜若狂。对一揽子解决战后问题的巴黎和会，抱了太多不切实际的幻想。对和会的最低诉求，就是要收回日本在战争期间，从德国人手里抢来的青岛和山东权益。然而，作为战后五强之一的日本，对和会的要求也是这个，中日双方迎头相撞。在一个丛林时代，弱国无外交，和会会满足哪个，不言而喻。但是，为了搪塞中国人，英美把满足日本的要求，说成是中国政府事先就答应了的。于是，中国的外交失败则演成了一场抓内奸的恶斗，自中国参战以来段祺瑞政府的亲日政策，遭到了全面的质疑。"五四运动"中学生要求惩办的国贼，明面上是三个留日学生曹汝霖、章宗祥和陆宗舆（三人都在梅兰芳访日这个事上，起了推动作用），事实上剑指段祺瑞。在一个月前还是全民大功臣的段祺瑞，迅速地变成了众矢之的。

在梅兰芳出发的时候，中国使团在巴黎已经濒临绝境。但是这一点，梅兰芳不知道，即使知道了，也不会有什么反应。事实上，梅兰芳开演不久，国内即爆发了"五四运动"，曹汝霖的家被烧，章宗祥被打。在日本的中国留学生群情激愤，国内国外，反日情绪都达到了极致。

梅兰芳到达东京之后，中国驻日代理公使庄璟珂为给梅接风，举办了一场盛大的宴会。一般来说，代理公使举行的酒会，东道国来一个次长已经很给面子了，但没有想到，日本整个内阁包括总理大臣都来了，还加上各国驻日本的大使。这背后，虽然有冯耿光的安排，但大仓的面子起了绝大的作用。在席间，梅兰芳演了一个短剧，技惊四座，把宴会推向了高潮。对于大仓来说，这样的宴会是一个绝佳的宣传海报。但是，在日本的留学生看来，却不是那么回事了。特别是"五四运动"爆发之后，依旧在日本大演特演的梅兰芳，几乎就成了京剧界的曹、章、陆。

5月7日是当年日本逼中国签《二十一条》的最后通牒的日子，5月9日，是中国最终接受《二十一条》（欠七条）的日子。这两个日子，都是中国的国耻日。在日本的中国留学生，更在意的是5月7日。5月7日，在东京的两千多名中国留学生，举行了中国国耻日的示威游行。学生也开始打汉奸，凡是娶了日本媳妇的都是汉奸。在此之前，梅兰芳收到了一封恐吓信，要求他至少在 5 月 7 日这天停演，否则武力对付。

梅兰芳和大仓都准备在 5 月 7 日停演了，但帝国剧场的负责人却坚持要继续演，因为票都卖出去了，停演一天，不仅损失严重，而且影响极坏（丢面子）。后来大仓妥协了，梅兰芳则说，只要大仓坚持要演，他就演。结果国耻日那天，演出照常进行，仅仅把因梅兰芳演出而挂在剧场门口"日中友好"的牌匾给摘了下来。那天，梅兰芳演出的剧目是《御碑亭》，他在台上很卖力，观众反响也很热烈，但剧场工作人员却万分的紧张，生怕中国留学生会闹出什么事来。显然，在日本的中国学生远没有在国内的勇武，那天什么事儿都没有，平安度过。此后，留学生也渐渐消停了，一场风波，消于无形。梅兰芳越演越来劲，访日大获成功。回国之后，1923 年日本发生东京大地震，梅兰芳特意举行了两天的义演，将义演收入全部通过外交部汇给了日本，作为赈灾之用。第二年，也就是 1924 年 10 月，梅兰芳再度访日演出，同样场场爆满。在赈灾义演和第二次访日的时候，国内当家的是仇日的直系政府，中日关系已经跌入谷底。但是，政治一点儿都没有影响到梅兰芳。

艺人不懂政治，也不想懂政治，但是，他们有他们的信条和道德。他们讲义气，讲究知恩图报。谁给他们饭辙，他们就报答谁。在闹太平天国的时候，艺人几乎全体站在了清政府一边，还编出了敌视太平天国的新剧《铁公鸡》，因为太平天国不让演戏，砸艺人的饭碗。在闹义和团的时候，虽然义和团不砸艺人的饭碗，但闹大了，烧掉了前门的戏园子，也等于是砸饭碗，所以，京城里成名的艺人都不喜欢他们。老乡亲孙菊仙还被诬为"二毛子"，不得不逃亡。梅兰芳不明白"五四运动"里面的名堂，他只知道，日本人乐意捧他的场，良好的观剧作风，如雷般的掌声，给他留下了深刻的印象。即使看在那五万包银面子上，他也得给大仓一个面子，给日本观众一个面子。在艺人眼里，手里的玩意儿，一般情况下是没有国界的，他们眼里，只有衣食父母。谁乐意捧场，谁是衣食父母。当然，如果日本人真的打进了国门，又另当别论。抗战期间，在梅兰芳这里，日本人就不受欢迎了。可是，一直到后来，日本人战败了，民国也作古了，但梅兰芳依旧立场模糊，对做过汉奸和反革命的昔日捧场人，还是脉脉温情，偷偷地塞钱给他们。

中国最优秀的艺人，不懂政治，他们懂点儿别的。

# 衰气的国民党的电影审查

中国的电影业，跟世界接轨很快，早在 20 世纪 20 年代，就已经成气候了，不仅有进口的外国电影，国产电影也后来居上，占了半壁江山。北洋时期，军头们说了算，他们对于文化事业没有感觉，想不起来管这事儿。所以，新兴的电影业像野草一样蓬勃发展。国民党当家之后，由于受苏俄的影响，开始操心文化教育，在 1930 年年底通过立法院制定了《电影检查法》，并于次年 2 月组织电影检查委员会，隶属于内政部和教育部名下，正式开始实施电影检查制度。

电影检查制度的出台，背后是一种社会对新兴的电影事业的道德忧虑，觉得电影带坏了年轻人，诲淫诲盗，特别是当时最火的武侠片《火烧红莲寺》，引得不少年轻人进山寻师练武，让一些家长冒火。所以，所谓的电影检查，在当时主要是出于维护社会道德的考虑。同时，鉴于电影检查是跟文化界搭边的事儿，国民党政府主持这个事儿的人，不想因此事受贿，招文化界的批评，所以从一开始，就把它办成了一个不吃请、不受贿的清水衙门。

首先，所有申请审查的电影，无论是国产制片公司，还是电影进口商，都拿影片拷贝到指定的银行缴检查费，银行收费发号，这边按号的先后审查，不许加塞儿。银行跟检查委员会两条线，互不通问。其次，电影检查由所有七个委员一起审片，审查通过与否，删减与否，均在会上表达理由，投票表决多数通过，最后，两个由中央党部派来的监察员也得签字，才能放行。

当然，制度的制约是一方面，另一方面，是因为当年的电影审查通过率非常之高，不怎么卡人，当然也就没有人贿赂。在内政部和教育部联合主管的时代，只要外国片没有侮辱中国，没有过多的暴露和淫秽的镜头；中国片不宣传迷信，没特别的色情暴力镜头，大体上都可以通过。总的说来就是三个原则：维护国体，破除迷信，维持风化。所以，大部分好莱坞电影，包括卓别林的《摩登时代》《城市之光》，以及著名的"左倾"电影《西线无战事》都被放行了，连苏联电影《夏伯阳》也进来了。日本电影进不来，主要是因为影片质量。而国产电影更是左翼进步电影的天下，《城市之夜》《马路天使》《桃花劫》等，都没有任何问题。只有《三个摩登女性》遭遇了来自党部的监察委员的阻击，但因为审查委员会的主任找来了国民党元老蔡元培，让蔡看了电影发表意见，在蔡的压力下，两位监察委员只好签字放行。而外国电影《西线无战事》放行之后，一度遭到禁查，则是因为蒋介石正在江西剿共，觉得影片的名字碍眼。

即使在 1934 年，国民党中央党部接手电影检查委员会之后，虽然审查委员都换成了陈立夫的人，党性很强，特意强调不许煽动阶级斗争，强行注入意识形态观念，但是，紧了一些时日之后发现电影业一片萧条，最后依然放松。绝大部分左翼进步电影，依旧可以问世。电影界除了进口片之外，还是左翼电影人的天下。审查最多的关注，依旧不是意识形态，而是社会道德，在维持风化上下功夫。

显然，以政治标准来看，国民党的电影审查事业，是不成功的。这个不成功，在很大程度上是因为国民党想要政治挂帅，却一直没能挂起来。审查委员老爷们，眼睛里有的还是道德。

## 武术与国术

武术这个玩意儿，在古代多数的时候是被称为技击、搏击的，偶尔才会被称为武艺，到底是不是指今天的拳脚功夫，也不好说。武术这个概念，出现在明末清初，同样意指含混。而在民国，武术是被称为国术的，非常明确地包含了所有民间所谓武把式的器械和拳脚功夫。

国术的兴起，跟国学、国医、国剧一样，含有发扬国粹的强烈的意向。在某种程度上，恰是因为在西风东渐的大环境中，国粹被冲击得太厉害，不仅中国传统学术被鄙视，学校里的经学课被废止，甚至国民政府卫生部居然提议废除中医，让吃传统国粹饭的人没有活路。国术的横空出世，也是国粹的一种反弹。

在这反弹的潮流中，1928年，国中出现了中央国术馆。主持此事的，是冯玉祥的老部下张之江。张之江是冯玉祥麾下的"十三太保"之首，1926年冯玉祥下野避祸，就把部队交给张之江统领。可惜，这位深受冯玉祥信任的太保把部队给带散了。不过，当年的冯玉祥部队由于比较穷，子弹缺乏，所以不得不靠冷兵器来济自己之穷，很早就引进了武林高手来教刀术。一直以来，冯玉祥和跟冯有渊源的部队，比如后来宋哲元的二十九军，向以大刀队闻名。基于这个缘故，张之江对中华武术一直有着浓厚的兴趣，反正后来也没兵可带了，弄弄武术，也算是个营生。

弘扬国粹的反弹虽然强烈，但热衷国粹之人实力并不雄厚，张罗国术馆的，多为冯玉祥西北军的人，冯玉祥自己也出马担任理事长。但是冯玉祥系统的人多半是穷措大，榨不出多少油来，仅仅靠对传统武术有感情的商人，才能弄到一点儿钱。国术馆成立后不久，中原大战，冯玉祥的部队星散。几个做封疆大吏的余部早就背叛了冯玉祥，自然瓜田李下，要避嫌，也不好出头。

所以，中央国术馆成立之后，经费一直都很紧张。国术馆是要招生的，但凡有志于学武术的人，必须有点儿基础才能考上，考上的人几乎没有富豪子弟，学费多了，根本交不起。尽管如此，张之江热情很高，全国武林虽然门户之见很深，但西方体育冲击的压力大，"外患"当头，不能不有所动作，所以大体上对国术馆还是支持的，各个大门派都有一些高手出任国术馆的教练。

张之江提倡的国术，其实跟传统武术的套路还是有所不同。毕竟西北军原来的大刀队，玩的就是军事技击，经过战场肉搏的考验，走的是实用一途。而且张之江在没兵之后出国游历多时，也见了世面。所以，国术馆到了1935年就挂上了另一块招牌：中央国术体育师范专门学校。在名称上，挂上了来自西洋的时髦的"体育"的羊头。进馆学习的人，不仅要考武艺，还要考文化知识和口头表达能力。进馆之后的学习也是偏重于实战技击，各个门派的功夫都学，其中也包括太极。

应该说，国术馆的人在实战比赛中，的确技高一筹。1928年在杭州举行的全国武林擂台赛，一般来说，虽然各地的武林高手表现也不错，但在国术馆的选手面前还是有所逊色。当年擂台赛夺冠呼声最高的人，是时任上海永安公司总镖师，人称"镇江南"的刘高升。但是刘高升上了擂台之后，相持未久，竟然被国术馆的选手曹砚海一个前横劈，当场击倒。而这个曹砚海在入学的时候，差点儿因为口试成绩不好被淘汰。

国术馆一直办到1947年，这期间，各地也办起一些地方国术馆，像习武之风较盛的山东河北，一时还挺红火。而国术馆的优秀毕业生也被国民党的军校聘为武术教练，但是，在国民党的军校里，武术教练始终是边缘人物，上不了台面。在此期间，西洋引进的各种体育项目倒是比国术发展得快，在各个大中学校中逐渐成了气候。不仅体操是学校的必备，连足球、篮球和网球，也渐次有了比赛。像天津的北宁足球队，不仅打败了租界的洋人，还走到日本参加比赛。即使在军校，西洋体育也是锻炼身体的主流办法。在诸项国粹之中，国术尽管也不乏爱好追捧者，但终民国之世，既比不上国医（中医），也比不上国剧（京剧）。像1928年那样的杭州武林擂台赛也没有接着办下去，只在全国运动会中，保留了一个国术项目。即便如此，运动会上的国术比赛，依旧采用传统的打死勿论的规则，众多选手都选择退赛。最后玩下去，武术就只有趋于表演了。

# 第五章
# 泡在历史里的中国

# 高压之下，友情薄如纸

我要讲的，是一个见于应劭的《风俗通义》里的小故事。东汉末年，宦官外戚轮流当政，政治昏乱。在外戚大将军梁冀当政时，尚书令刘矩因事触犯了梁冀，被降为常山相，不久，又被罢官去职。在东汉，尚书令原本是可以上朝独坐的要员，地位显赫，然而，一句话没说明白，就变成平民了。变成平民的刘矩，还不敢回乡。因为他的家乡在沛县，当时为梁冀的妻兄孙礼的地盘。那个年月，地方官权力很大，对于属下的平民，可以生杀予夺。刘矩如果回乡，被孙礼找个碴儿杀了也是白杀。没办法，刘矩投奔了他的好友彭城人环玉都。环玉都一向敬重刘矩，为刘矩安排了住所，招待得十分周到。

然而，有人跟环玉都说，你这样干，就要惹祸上身了。一来二去，环玉都害怕了，借故出门远游，把好朋友搁在家中。而环的家人则不把刘矩当回事，夏热冬寒无人问，饥一顿饱一顿的。如是者，过了一年。还好，刘矩命大，没有死掉。不知怎么回事，一年过后，梁冀又想起刘矩的好来了，就把他招回来重任尚书令。环玉都知道之后，十分惭愧，由此自绝。

其实，在两汉之际，古人对于朋友之道还是在意的。同样是东汉末年，"党锢之祸"的时候，张俭被祸，望门投止，为之破家者相望于道。只是说，张俭这样的清流，对抗的是宦官，满满的道义感。人们在挺身相救之时，容易被义气相激。而得罪了梁冀的刘矩，一来没有张俭那么大的名气，二来得罪的原由不明，让环玉都仅仅看在友情的面上，担着身家性命的干系，难免犹豫——说良心话，环玉都还没有落井下石，虽然自己离开了，家人招待不周，但毕竟养了朋友一年。

古代社会，一个"义"字，是被人们认真对待的。当年信息不通，交通不便，结交个朋友，相当不易。朋友之道，在人伦则为伦理关系之一，在现实则为珍稀的社会资源。即便如此，在乱世昏君佞臣当道之际，面临政治高压，多年的友谊也会变形，或者有可能变形。而现今社会，所谓朋友多为酒肉之交，闺密之交，虽然也可以算是社会资源，但在日常情形，只要利之所趋，背叛已是家常便饭，如果面临威胁，维持下去就成了白日梦。现在"义气"两个字也常挂在人们嘴头上，"为朋友两肋插刀"这样的话，当然还是有人说。但实际上，漫说两肋插刀，就是在脚指头上比画着插根牙签，都是少见的。被重新提起的义气早已是明日黄花，不仅颜色，连味道都变了。

所以，在今天，还能讲朋友之道的人，都是珍稀动物。乱世，需要朋友，但朋友之道却难以维持。

# 人性的跨地域存在

应劭的《风俗通义》中有这样一个故事，说西汉时节，颍川有富室，兄弟同居没有分家。两兄弟的媳妇同时怀孕。兄长的媳妇流产，闭门不让人知，待到弟媳生产，则趁人不备，偷偷把弟媳生的儿子给偷走，非说是自己生的。由此两家争讼三年，州县不能决。最后丞相黄霸出面，让两个妇人拼命争，谁抢到算谁的。结果长妇拼命拉住不放手，而弟妇则拉了一下就放手了。黄霸说，这个孩子是弟妇的，因为只有亲生的母亲，才唯恐伤了自己的孩子，不会使劲儿抢。

《圣经·旧约·列王纪》里所罗门王的断狱故事，也有类似的情节。两妇争子，所罗门王说要将孩子劈成两半，一人一半。结果孩子的亲生母亲表示放弃，孩子被所罗门王断给了亲生母亲。

应劭是东汉末年的人，这个故事很可能是真实发生的。即使不是，也是那个时代民间的一个传说。距今差不多两千年，跟《圣经》的产生时间，前后相差不多。当时东西方虽有来往，大体上还是隔绝的，彼此的文化交流不可能有多么的密切，所以，两个故事，应该都是各自本土的家生货。

应劭记录的这个故事，后来被转到了包公头上，传统包公戏中的《灰阑记》说的就是这个故事。只是把孩子搁在了一个灰阑之中，即包公让人用石灰画了一个圈，把孩子搁中间，两妇人往外拉，谁拉过来算谁的。结果亲生母亲先放手。显然，故事经过这样的改编，更加精致了。以至于后来《圣经》传入中国，有的译本在翻译所罗门王的这个故事的时候，已经将之中国化了，用的就是《灰阑记》的模式，不再是要将孩子劈成两半，也是放在一个圈里往外拉。

汉人和犹太人，两个相距万里之遥的民族，居然差不多同时产生了一个非常类似的民间故事，基于母爱，称颂的却是深谙人性的统治者巧妙的断狱技巧。这种巧合，说明什么呢？为什么两者的文化差异，在故事的形成过程中基本上没有起作用呢？

看来，尽管生活在各个地方的民族，会形成各自的文化，地域相距越远，差异就越大，但基本的人性大体却差不多。基于基本人性的故事，自然也就会相似。无论哪儿的人，都知道母爱是天性，谁生的孩子谁心疼，走到哪儿都是一样的。更有意思的是，尽管所罗门王治下的犹太人跟汉朝大一统王朝治下的汉人百姓，上面的政体很不一样（在汉人看来，当年的以色列，充其量不过是个酋长治下的酋邦），但是，落到治理的基本面，汉朝的官员也跟酋长一样，

第五章 泡在历史里的中国

需要给百姓排解纠纷，打理争讼。所以，只要歌颂明君或者清官，无论对象是所罗门王还是黄霸抑或包公，用这样的故事都是合适的。把这种民间的智慧，搁在明智的统治者身上，对于两边的编故事的人来说，就是可以做到不约而同。

通人性的统治者，自古以来，无论在什么地方，都会受到百姓的称颂。反之，拗着人性来的统治者，无论道德口号喊得多响，都不会受欢迎。在人性方面，无论怎么说，古今都是一个道理。

## 性就是为了生儿子存在的

食色乃人之天性，这一点孔夫子也是认账的。但是，后世的孔门之徒却在泛道德主义的道路上狂奔，一路走到了禁欲主义的泥坑里。这种毛病，在东汉表现得特别明显。

东汉的上流社会，是经学的一统天下。读书人如果不通经的话，基本上举孝廉就没戏了，有权人也不会找你做下属，进入仕途也就没门儿了。所以，读书人不通数经，至少也得通一经。因此，凡是通经之大儒或者高官，门下都挤得满满的。但是，人一多，单单通经，后来也不行了，因为可以通过学习获得的东西，相对来说都比较容易，人都涌上来，想分个高下就有难度。所以，人们就在道德讲求上下功夫，看谁道德水平高，尤其于"孝悌"两字更加在意。说白了，为的就是搏出位。兄弟分家，按规矩是平分，但想要名的那位可以一个大钱不要。著名的孔融让梨，就是在这个背景下问世的。父母亡故，按规矩守孝三年，但有人可以守十年。别人在家就行，他跑到墓道里去搭个草棚子。守孝期间，不许吃荤，不许过性生活，也都是这种道德讲求的结果。

禁欲主义，首要的目标就是食与色，而主要就是禁色，视性生活为不洁。三年守孝期间不许碰女人，就是这个原因，似乎碰了，就是对故去老人的亵渎。上流社会的人，吃的差点儿还好说，把女色视为洪水猛兽，可真是要了命。但是，想要搏出位，诸事得忍。在经学大盛的东汉，不仅嫖妓和出轨成了禁区，连正常夫妻之间的性生活也有了限制。就有这样的儒生，每次跟妻子过性生活都要叩门申请：为子嗣计，敦伦一次如何？妻子答应了，方才可以进去敦伦。

在禁欲主义猖獗的时代，为子嗣考虑过性生活，是一个绝对正大光明的理由。因为孔夫子说了，不孝有三，无后为大。无后是最大的不孝，而要想有后嗣，非得敦伦不可。古人从初民时代就明白，性生活是生儿子的前提。考虑到古代儿童死亡率比较高，所以，生一个儿子还不够，还得多生，多生就得多敦伦，如果妻子生不了了，还得纳妾，找小老婆。明明过性生活是有快感的，非得打着为子嗣计的招牌。

当然，东汉之后，魏晋的士大夫来了个反其道而行之，开始放浪形骸，拼命地纵欲。但是，性生活为不洁的观念，却从此流传了下来，连民间也开始相信了。逐渐地，性生活具有了明确的功用，就是为了生儿子。男人这样想，女人也这样想。照此办理，夫妻之间一旦子嗣问题已经解决了，性生活就可以结束了。所以，社会学家费孝通先生说，中国的家庭是父子轴线的，围绕子嗣展开的。作为享乐的性生活，男人只能在妓女身上找补。古来汗牛充栋的爱情以及性爱的诗词歌赋，没有几个是适用在正常的夫妻之间的。可以说，妓女才是中国士大夫爱情文学的主角，至于妻妾，只是作为生育工具存在的。这种工具化的良家妇女，其实最符合儒家面目的社会道德。

这样的状况，一直到晚近，依旧存在。如果"文革"中社会有什么特别的标志，那就是彻底的道德禁欲主义。在这其中，文艺作品中的性爱和爱情荡然无存，被剔除得干干净净。样板戏中的女人，是绝对不允许有配偶存在的。不是跑单帮去了，就是去向不明。连农村中都坚决执行晚婚，不到25岁不能谈"个人问题"。性爱仅仅是为了繁育革命后代，才能有小小的一席之地。在人们心目中，它不仅丑恶，而且肮脏，不看在革命后代的面上，这简直就是犯罪。那个时候被揪出来的坏人，几乎个个都有跟脐下三寸有关的问题，更加加重了人们对性的恶感。尽管那个时代也有人有正常人的欲望，但能压着，就尽量压着。

革命虽然结束了，但性爱的这种"肮脏本色"，并没有完全从那些过来人的头脑中祛除。很多做妻子的，孩子生出来之后基本上就不理丈夫了，一心一意只扑在孩子身上。好些夫妻，虽然孩子上了大学，但还是中年人呢，妻子就可以离开丈夫，奔了孩子大学所在的城市长期陪读，把丈夫一个人扔在家里。家庭从传统的父子轴线，变成了母子轴线。丈夫成了多余的人，如果不多余的话，也只剩下了挣钱养家的功能。

## 大明朝的万国来朝梦

感觉自己是世界中心，是战国典籍《禹贡》的思想，做万国来朝的梦，则是中国皇帝的毛病。这个毛病，在明朝发作得特别厉害。按理说，明朝的疆域并不怎么广大，国力也不算强盛，但是，明朝皇帝的虚荣心却比历朝历代都要强烈。我们今天讨论朝贡体系，都不能不说到明朝，因为只有明朝才把这个并不真实的现象，变成了一个制度。

当然，在明朝，来朝贡的国家是有的，朝鲜、越南、琉球，还有时来时不来的暹罗和占城。偶尔也来朝贡的日本就可疑，一边朝贡，一边关起门来自称天朝上国。至于靠近北京的蒙古人，则不仅不朝贡，而且还时不时地威胁大明朝的疆土。

其实，有的国家之所以肯来，在很大程度上是因为大明朝的皇帝有自虐的毛病，不管谁来上贡，上什么贡品，都加倍赐还，以示怀柔远人。这样一来，所谓的朝贡，在进贡国看来，就是一桩只赚不赔甚至大赚的买卖。有这样的便宜事儿，有哪个傻子不做呢？当年，日本人就是一个典范。日本是封建制国家，各个大名都是半独立的实体，所以，开辟疆土也罢，朝贡搞不平等贸易也罢，都由各藩自主进行。于是，你来我也来，来了个不亦乐乎。有些浪人，借高利贷买了点儿破铜烂铁，只要搞到一个大名给的名义，也来上贡。这样折腾下来，就算大明朝财大气粗，也受不了了。于是，明朝硬性规定，日本人只能一年来一次。结果，好些日本人来到了海港也进不了北京，"不平等贸易"硬是搞不成了。正好明朝搞海禁，海边的渔民和商人被"逼良为娼"，化为海盗，于是海盗和日本浪人结合，就成了为害中国海疆几十年的倭寇之害。

尽管有乱子，国库屡屡为之一空，但是，皇帝老子接受万国来朝的感觉，还是别的事儿都无法替代的。好多不乐意见朝臣的皇帝，对于接受朝贡国使臣的三跪九叩，都是无法拒绝的。一时间没有人来了，还得派人去招。郑和下西洋，最开始的时候是冲搜查建文帝去的。毕竟永乐皇帝朱棣得位不正，打下南京的时候，合法的皇帝建文帝不知所踪，生不见人死不见尸。不把建文帝的下落打探清楚了，朱棣晚上睡不着。但是，一次次下西洋，时间久了，原来的事儿就淡了。劳民伤财，费如此大的周折搞大规模舰队远航，既不为占土地，也不做买卖，皇帝还乐此不疲，为的就是一次次把南洋一带的土酋长打扮成国王带到中土，朝见皇帝，让皇帝过一把万国国王来朝的瘾。

当年的世界，虽说没有今天这么多的国家，但绝不是那几个不知出于什么目的来朝贡的国家所能代表的。说白了，所谓的万国来朝，所谓的朝贡体系，不过是为了满足皇帝的虚荣而弄出的超级大戏。演戏，是为了讨皇帝的欢心，对整个国家的安全和繁荣没有丁点儿好处，反倒劳民伤财。一次次演戏，耗费的，都是民脂民膏。

但是，只要皇帝好这口，这个超级大戏，就得演下去。什么时候鹅飞水尽，什么时候才能歇了。

# 官场专糊顶棚

明清官场，实行低俸制，一个县令掌一县之大权，每年俸银才45两。若是真靠官俸过活，一家大小不说饥寒交迫，也得清淡出鸟来。至于官场应酬，送往迎来，就别想了。不知道当初朱元璋怎么想的，居然把官员的俸禄定得这么低。大概出身贫寒，骨子里对官员有股子恨意，自己当皇帝了，非得把官员的生活费降到最低点不可。明朝这样干了，清朝也就照搬。

不过，两个朝代，真的指着这点儿俸银过活的官员，跟白乌鸦一样稀少。只要有权力，当家理政，总会有钱进来。比较起来，俸银倒是可以忽略不计了。多数的皇帝其实也知道这点，睁眼闭眼，也就这样了。反正总得有人给他治理天下，活生生硬是不让人家过好日子，情理上也说不过去。

所以，明清两代，地方官一般都指望各种陋规过日子，就算是一般性的清官，日子过得也不差。除非你想像海瑞、于成龙、汤斌那样，成心想难为自己的家人，博取一个超级好名声。官员是用来管事的，征收钱粮，打理官司，督办工程，哪一样都有陋规。随便弄一点儿，就相当可观。家人日子过好了，退休之后的生活无忧了，可以请得起师爷帮忙干事了，送往迎来，官场应酬也没有问题了。

但是，有一个大麻烦是，几乎所有的官员，如果严格追究起来，都有了罪过。因为所谓的陋规，不是朝廷的法规，陋规收入属于灰色地带的收入。说你是贪污，你也没脾气。虽说法不责众，但就是单挑了你来"责"，你又能怎么样呢？朱元璋定下的低俸制，无意之中把所有的官员，都弄进了犯罪的陷阱。对官场的清廉当然一点儿好处都没有，但对皇帝玩弄权术倒是特别有利。无形之中，等于把官员都搁在了罪人的位置上，皇帝想处理哪个，不用担心冤枉了，可以随心所欲，翻云覆雨，想怎么来就怎么来。

上有政策，下有对策，众官员当然不能就这样随皇帝玩弄折腾。应对的办法，就是"糊顶棚"，把面上的事儿做得尽量光鲜，让皇帝看上去哪儿都好，寻不出毛病来。所以，明清之际，官场有谚曰：官场专糊顶棚。真是经验之谈！

糊顶棚得有人帮忙。明清地方官都请有幕友，协助处理钱粮、诉讼和公文往来事宜。人们都说，这是因为地方官是考上来的，没有处理这些事务的经验和专门知识，所以非请人不可。其实，就算地方官明白这些事儿，也一定得请人。

事实上，幕友要干的事儿，不仅仅是具体帮助地方官处理公务，而且有些公务，比如最为繁重的案件的审理，幕友根本不能到场，非得地方官自己决断不可。幕友要干的事儿，最主要的是公文上的"弥缝"。明明各级官员都吃了陋规上的好处，但在公文上一定不能有陋规一丝一毫的影子。即使官员在案件的审理过程中明显出了纰漏，完全不合乎法律条文，上报的公文也要做得严丝合缝，中规中矩，跟《大明律》或《大清律》一点儿也没有相违之处。实在不行了，精通律例的幕友还能从既定的案例找出弥缝的办法，只要有过类似的案例，那么，地方官的判决再荒唐也就可以搪塞过去了。至于找这个案例不找那个，当然要看需要。

如果皇帝或者上司多事，总是交代任务，不办不行，办则麻烦多多，容易出事，这样也好办。这里靠的就是文牍功夫，官员要明白个中道理，而幕友要会玩文字游戏，让人感觉是事事都在办，下面很忙，天天加班，但是实际上一件事都没办。糊弄过上面，也就完了。

明清地方官，之所以每个层级都需要高薪聘请幕友，为的就是这个。幕友大多来自绍兴，世代相传，师徒相替，各级衙门的幕友，不是师徒师兄弟，就是同乡，没有同门之谊，还有同乡之情，所以互相都开绿灯，偶有不慎之处，都会给代替弥补。大家目标就是一个，把皇帝老儿糊弄好了，把官帽子保住，一切 OK。

糊顶棚，意思就是不顾下面难看，但求上面溜光。这里的关键，除了日常的打点应酬，还在于会讲话，能文牍。话不能说满，必留三分余地，言不能清晰，关键处要模棱两可。似乎什么都说到了，其实什么也没有说，反正最后真的出事了，追究责任时，你刚好可以滑过去。

所以，糊顶棚的官场，不仅官员自己要明白事理，还得找好会做公文的幕友。一个好汉三个帮，对吧？

# 饺子里的金银锞子

过年吃饺子，往饺子里面放几个硬币，煮熟之后，谁吃到了，就说明谁来年有财运。真的有没有财运，当然两说了，但讨个彩头谁都高兴。这个习俗由来已久，至少在晚清时节已经相当流行了。晚清宫廷跟民间一样，过年守岁要吃饺子，饺子里照例要放几个金锞子和银锞子。但是，吃的时候，每年都得由慈禧太后吃到，一个不落。有一年，一个不留神，被光绪的皇后隆裕吃到了一个。这位慈禧太后的娘家侄女十分知趣，没敢声张，悄悄告诉了大太监李莲英。李莲英再神不知鬼不觉地把银锞子包进另外的饺子，再煮一锅，最后还是老佛爷包圆。

当然，一个人命再好，也不可能年年把包了金银锞子的饺子都吃到。明明是太监们做了手脚，故意把这样的饺子做了记号，挑出来专门奉上去的。无论如何，一定得让老佛爷吃到，一个都不能少。

《红楼梦》里的贾府里面也有一个类似老佛爷的史太君，此老吃饺子如何，小说里没讲，但是打麻将却把把都能和，需要什么牌，婢女鸳鸯打个暗号，自然有人给她打出来。让她做一个运气极佳、洪福齐天的老太太。

这样命好的老太太，其实不是真的命好，财运挡不住。而是权势大，大到干什么都有人捧着，哄着。按道理，像慈禧太后这样的聪明人，应该知道不大可能回回都是她一个人把包着金银锞子的饺子都吃到，这不符合常理。她应该有记忆，在她没进宫之前，绝对没有这样的好运气。说穿了，这种把戏不过是人家为了讨好她玩的游戏，哄老太太玩的。但是，这个眼里从来不揉沙子的老太太，就是心甘情愿被人这样"玩"着，乐此不疲。这里，不是强人被拍昏了头，而是他们自己就不乐意醒。

权势大的人，即使像过年吃饺子这样的小事，也会暗藏"马屁政治"的名堂。时时刻刻，吃饭穿衣，马屁如水银泻地，无所不在。关键是，再精明的政治家对于这样的马屁游戏，也无法保持冷静。游戏玩多了，也就乐在其中了。万一出了意外，游戏被拆穿了，所有人都会紧张，被拍的人，也会老大不乐意。不过，这样的事故，古今中外都不多见，即使出了，也会很快被弥缝住，被拍的，尽管放心就是。

过年是个好日子，在这样的好日子里，人性会得到充分的展现，越是幽暗，越是能显现。


# 时机不对


中国人干事，讲究天时、地利、人和。这天时，是第一位的。所谓天时，按我的理解，就是时机。中国人烹调，讲究火候，这"火候"解释给老外听，多半都理解成了"时间"。较真的，还拿笔一条条地记，放油熬几秒，翻炒几秒，放水再几秒。火候这玩意儿，首先的要素也确实就是时间，掌握好了时间，时机也就合适了。只是老外很机械，机械地掌握火候肯定是不行的。

烹饪的对象是死东西，即使不死，也得听人摆布。但是，如果是对付人，那时机这玩意儿可就有讲究了。中医给人针灸，讲究个"子午流注"，什么时候用什么针不能乱，乱了不仅不治病，还添病。如果不仅仅是治病，还要玩政治，时机就更重要了。

帝制时代的政治，就是一种跟时机有密切关系的艺术。大到皇家祭祀、上朝，小到出门访客，都得讲究时机。皇家有专门的太史令，负责计算时辰，而一般的官员也得请人算算。否则弄错了，或者自己感觉弄错了时辰，没准儿事就办砸了。不能早，也不能晚，恰到好处。

当然，最该讲究时机的，还是拍皇帝的马屁。都说"千穿万穿，马屁不穿"，能拍总是不错，这是不对的。君心难测，君威更难测。一个不留神，马屁拍在马腿上，龙颜大怒，弄不好吃饭的家伙都没了。不是你说错了话，而是你在不该说的时候说了不该说的话，那就是大错。

比如讲，一般人说，顺着皇帝的意思总没有错，皇帝说一，我顺着捋到八九，肯定是保险的吧？不一定。兴许皇帝刚说完，忽然觉得自己说错了，或者下面的反应不好，需要纠正。你正好这个时候上杆子出来顺着皇帝前面的话接着说，而且说得很过分。这个时候皇帝把脸一翻，千错万错，都是你的错。整个的黑锅，你都得背着。你敢跟皇帝较劲，说这不就是你的意思吗？给你一百个胆儿！

所以，拍皇帝（如果太后当家，那就连太后也得拍）的马屁，要想掌握好时机和火候，首先得买通皇帝和太后的贴身太监，让他们随时通报里面的情况，随时掌握上面的动向。晚清的张荫桓，虽说是捐班出身，但洋务办得好，外国人满意，朝廷也满意，所以官儿升得比较快。一次出使英国回来，给东太后和西太后各带了一件宝贝，东太后的是块大的红宝石，西太后的是一块稀世的祖母绿。显然，张荫桓知道，真正当家的人是西太后，所以，给西太后的礼物要贵重得多。

但是，张荫桓升官升得太快，却不知道打点太监的重要性，所以送礼的时候，于西太后最宠信的太监李莲英这方面，就欠缺了点儿什么。结果，礼送上去了，西太后在把玩这块祖母绿的时候，李莲英不温不火地添了一句：咱就不配红的吗？这下子可捅到了西太后的痛处，她一辈子的遗憾，就是东太后做皇后的时候，她还是个皇贵妃。如果按这个等级的话，当然人家可以用红的，她就只能配绿的了呗。

这个梁子结了之后，张荫桓后来就倒了霉。戊戌维新失败，西太后非要拿这个本来没怎么掺和变法的人开刀，尽管英国公使干涉了一下，命暂时保下了，但发配新疆。过了没多久，庚子国变，闹义和团，西太后还是趁机把他给杀了。

这事儿闹的……

记住，拍马屁，时机要对呦！

# 太监是怎样炼成的？

好好的男人，是怎样变成太监的？这个事儿还真有的说。太监就是宦官，当然在历史上名字有好多，阉人、阉竖、貂珰、寺人、公公等一大串。但一般来说，学名就是宦官。只是在明朝以后，宦官的衙门叫十三监，而且用他们做军监、税监、矿监，所以，才被称为太监。

一个正常的男人要成为太监，须行阉割手术。这种手术，牛马猪羊甚至于鸡都需要，否则肉就比较难吃。只是牲口做阉割，如果是雄性的话，把睾丸摘了也就完了。但是人不行，人作为文明动物，如果阉割的话，必须把睾丸带男根都割掉。这完全属于过度手术，没有必要的（没有了睾丸，性激素基本上也就没有分泌了）。但是，阉人是供给皇帝或者王爷的，为了让这些超级有权的"用户"彻底放心，必须得切，不，实际上是剜去男根，手术量之大，近乎于现在的变性手术。

虽说，东方的专制国家都有阉人，但阉人安排成为一种制度，设立衙门，排列官阶，设置专门的事务，还是中国特色。这个特色是自东汉以来，儒学和官僚制的高度结合的产物。皇宫里的阉人，原本的用意是既要人伺候得好，又要防范后妃偷情。东汉之前的宫廷，还是能见到正常男人的。只是儒学男女之大防的讲究，才让这些男人销声匿迹。后妃们要想跟外界打交道，非凭借宦官不可。宦官权力大了，官衙和机构就日益严整。于是，宦官制度也就成型了。后世的君主，无论对宦官专权有多少的防范，防到了清朝那样，把绝大多数内廷事务都交给内务府打理，太监的衙门也撤不了。

有了宦官制度，阉人的需求量就比较大。明清之际，皇权近乎专制，不仅皇宫需要阉人，一般王府也需要阉人。需求产生供给，供给方的一切都跟着发生变化。要求进宫的人多了，供不应求。一方面是因为对于一般贫苦人家，进宫之后，虽然没了关键零件，却有可能发家致富，辛苦他一个，幸福一家人；另一方面，则是因为阉割手术日益成熟，手术风险很小。

这事儿，是个奇迹。在古代，没有专门的外科手术器械，没有麻醉，没有消毒，没有止血钳，没有抗生素，如此大的手术，居然很少有手术以及术后感染死亡的。这个奇迹，其实早在西汉就已经实现了。司马迁选择接受阉割活下来，为了他未完成的《史记》。如果手术风险很大，那么，他很可能因此选择了受辱（宫刑）却死掉了，那么，很可能这样的选择也就不会发生了。可见，当年的手术把握就不小。

一般来说，哺乳动物的阉割，在幼小的时候成功率比较高，成年之后就有风险，动物尚且如此，何况人。然而，专门为宫里服务的手术者，做成人的手术把握也一样的大，可见其神奇，非同一般。

太平天国建都南京，从天王洪秀全以下，诸王的宫里佳丽众多，急需太监。但是动手术割一个死一个。害得连天王洪秀全宫里都没有太监，娘娘虽然多，但都得亲自动手打扫房间，倾倒垃圾。天王化身为工头，成天监督娘娘们干活，干不好即写诗骂她们。

当年的阉割专业人士都在北京，别的地方一个都没有，难怪洪秀全找不到。明清制度一脉相承，割人的专业人士和手艺，也一脉相承。割人的分成官家和私家的，官家的在清代属于内务府慎刑司，叫"官刀儿匠"，吃官粮，每月一两银子，每割一个，赏银若干，计件计酬。私家的叫"私刀儿匠"，随行就市，谁来割收谁的钱，但可以赊欠，等做了太监之后再付。当年的北京城，吃这碗饭的私刀儿匠不多，都是老字号，比如刀儿华、刀儿刘、刀儿陈。没有祖传的绝活和药物，根本就别想干这行。

割人的手术室，叫作净室，密不透风，很热，又非常干燥，又叫作蚕室，的确类似于养蚕的蚕室。这样的环境，在当时能最大限度地抑制细菌的繁殖。手术时当然没有麻醉，只是用布带把人的四肢束住，再用一个煮熟的鸡蛋塞在被割者的嘴里，让他发不出声音。手术刀就是一把月牙形的小刀，非常锋利。刀儿匠要在割下男根并睾丸的那一瞬间，把动脉血管扎住，塞一根芦苇进残留的尿道管里，然后再敷上特制的草药。

这里，手术的身手和药物都是不传之密，刀儿匠就指这个吃饭的。以今天医学的眼光，看起来很不可思议，但是，这都是发生过的事情。就像神奇的中医正骨一样，有那个医生，就会有那样的奇迹，因为他们有手艺，有药物。药的配方和神奇的手艺一旦失传，神迹也就没了。

有意思的是，在手术之前，刀儿匠还会对被割的人进行反复的心理辅导，一直到动刀之前，都在劝说对方放弃，讲很多做太监不好的地方，讲手术的痛苦，一直讲到你烦，烦到极点。如果你依旧坚持要做，自然就心意坚定，可以抵抗住后来的种种痛苦和不便了。

手术之后，要在净室里将养一些日子，刀儿匠会调整被割者的饮食起居，直到伤口长好。在这期间，被割下的物件会被刀儿匠用香油炸过，撒上药物，用油布包好，放在一个匣子里。这些东西，一般会寄放在刀儿匠家里，直到太监发迹了，自己成了家，再接回去。死后要放在棺材里一同埋上，标志着这个人零件还是全的。据说，正因为如此，北京的饭店里的炸鸡块都改称炸八件。看来，北京人待太监还是有感情的。

手术完成，最后进宫，得经过内务府看验。内务府的会计司大堂后面有一间净室，就是专门干这个的。检查是否割好了，负责的叫作"司净太监"。检验过了之后，得签字画押，手续非常严格。笔记小说总是传说太监有没割干净的，有多少多少的绯闻。其实，人跟动物的阉割不一样，只要割了，就没有割不干净的（动物一般也只有雌性才有没割干净的）。看验的人如果得钱买放，得承担诛九族的风险。

其实，手术只是一个方面，肯做太监的人，在做手术之前，精神上早已被阉割了。精神和肉体的双重阉割，是双重的保险。人们传说宦官的阴、毒、狠，其实是不存在的。男人一旦被阉割，没有了雄性激素的作用，也就没有了攻击性，想狠也狠不起来。所谓宦官的狠，其实都是皇帝的狠。所以，一旦没有了皇帝的宠信，宦官就立马没有了精气神。魏忠贤权倾朝野，满朝都是他的人，换了皇帝，只几个月，皇帝上嘴唇下嘴唇一动，他小命就没了，居然没有丝毫的反抗。个中的缘故，就是这个。

# 阿芙蓉文化

阿芙蓉就是鸦片的雅称。鸦片花好看，堪比芙蓉，且鸦片又称阿片，所以，毒品鸦片就成了阿芙蓉。鸦片这玩意儿早就有。唐朝时已经传入中国，宋代的时候，中国人已经对鸦片有了详细的了解。当时这是一味药，主治顽固性的咳嗽和腹泻。跟所有的中药一样，鸦片服久了有成瘾性，相对来说，瘾还比较大。在原产地孟加拉和缅甸一带，鸦片也一直作为药物存在，上千年下来，没听说谁拿它当烟吸，最后成了瘾君子、大烟鬼。

鸦片为害中国，一要怪英国东印度公司向中国输出鸦片，用以抵销进口茶叶的入超；二要怪大清的嘉庆皇帝，为了提倡节俭严禁烟草，若干吸烟上瘾的人士，想到了用鸦片替代烟草，结果原来的药物变成了过瘾的玩意儿，一发不可收拾。

不过，鸦片流行，在很大程度上要归功于我们过于精巧的国人，把吸鸦片这档子事儿，变成了一种文化，人称阿芙蓉文化。结果一个害人败家的行为无形中变得雅致起来。有钱有地位的人，熏上两口，既时髦，又拉风。于是就雅俗共赏地流行开来。

鸦片战争之后，贩卖和吸食鸦片不再是一种罪过，阿芙蓉文化大面积流行。这种东西比不得别的商品，只要沾上，就一定是它忠实的顾客，一直到家破人亡而后止。由于国人在种植上的天赋，很快就学会了种鸦片。鸦片国产化的程度，从晚清到民国是越来越高。烟价的降低，使得吸食者破产的速度降低了，普及程度越来越高。很多地方，贩夫走卒也是瘾君子，抽不起烟，买些烟灰也可以过瘾。

阿芙蓉文化，首先是鸦片的品鉴成为一种学问。资深的鸦片贩子和瘾君子，只要搭上一眼，就知道眼前的烟土是印度的班公土，还是云南的云土、东北的东土、俄罗斯的西土、口外的口土。什么烟土是什么价，供给什么人，都门儿清。

其次，是烟枪的讲究。吸鸦片，最合适的烟枪其实是竹子做的，最合适的是湘妃竹、水磨竹、云片竹。烟管要一寸直径，中间无节，讲究在烟嘴上，最好是象牙的。也有人用一些特别的蒿子秆做烟管，据说吸起来也很过瘾。富贵人家，也有犀角、玳瑁、象牙等名贵材料的烟枪。但无论什么材质的烟枪，瘾君子们讲究的是"足枪""饱斗"，即用过多年，里面充满了烟油的烟枪。这样的烟枪，即使不放新的烟泡，干吸两口，也可聊以过瘾。

再就是烟斗，即搁烟泡的地方。烟斗最好是紫砂的，青砂和白砂也可。讲究的，斗上嵌有金银丝，做成各种花纹。斗的形状也是争奇斗艳，各种名堂。依照产地的不同，有寿州斗、云南扁儿等。

剩下来就是烟灯，吸鸦片，要有烟灯来点燃。烟灯的上品，分为胶州灯、太谷灯和广州产的广灯。山西太谷产的太谷灯最拉风，是景泰蓝的。不用的时候，放在那里就是一个精致的工艺品。最好用的是广灯，用起来嘶嘶直响。老远听着，就知道主人在过瘾。

其他至于烟榻、烟盘、烟托，讲究的人家个个都是红木、檀香木做的工艺品，摆在哪儿，看着就赏心悦目。

除了用具，吸鸦片还要配有一整套的熬烟、烧泡的本事。大户人家有专门的下人熬烟，这样的专业技能，得花钱去烟馆学。至于烧烟泡的本事，基本上是女人的专利。吸食鸦片，很快就跟妓女文化接轨，晚清民国的妓院基本上都有鸦片伺候，烟馆里也有妓女，所以，如果哪个妓女会烧烟泡，客人就一定多。北洋时期成都有个女人叫花老四，都徐娘半老了，由于烧烟烧得好，家里顾客盈门，来往的大军头都是她家的常客。如果非要在家里吸鸦片，那么就只能由姨太太和丫鬟伺候了，很多大户人家，为此专门下功夫培养家里的女人。

阿芙蓉文化，最高的层面，是一系列的歌咏鸦片和伺候吸食的女人的诗歌，当然还有文章。民国时的一些下流小报，时有刊载。就跟歌颂三寸金莲一样，都属于那个时代的特殊文字。

不消说，阿芙蓉文化，跟鸦片一样，都是有毒有害的。但是，你得佩服国人，居然能把毒品和吸食毒品，变成一种文化。

## 糊弄洋鬼子

"糊弄洋鬼子"是我幼年时就学会的一句话，每当我做妈妈分派的家务活儿干得不好的时候，妈妈就会冒出来一句：你糊弄洋鬼子呢？长大之后我才知道，这句话的意思是，洋鬼子是可以糊弄的，而且必须糊弄，但是，对付自己人不能这样干。

最早大规模糊弄洋鬼子的事儿，是茶叶贸易。虽说清季之开放口岸之前，只有广州一口通商，但中西之间的贸易规模并不算小。来华贸易的主力军英国商人，最主要的事儿就是从秘鲁运来白银，到中国买茶叶。自打越来越富裕的英国人染上了喝茶的嗜好之后，唯一的办法是从中国买茶叶，因为世界上只有中国产茶。对于种植业不大精明的英国人，虽然多次偷了茶种在孟加拉试种，但均未成功。

卖茶给洋鬼子，就是一项糊弄事业。茶叶有品质的高低，好茶次茶，差距巨大，但是，最早买茶的英国人当然分不出好坏来。于是，以次充好就成了糊弄的第一道手续。这还不过瘾，中国的茶叶商人开始往茶叶里掺沙子、泥土，反正怎么能增加分量就怎么来。

这样被糊弄的洋鬼子，给捉弄的时间长了，也知道了中国人的把戏。按说茶叶是在树上长的，怎么都不会有沙子，但是没有办法，不能不买，因为这东西是蝎子拉屎独一份，世界上只有中国有。所以，我们在英国人喝下午茶的工具中发现了箩，一种细眼的筛子。很显然，这是用来筛掉我们在茶叶里掺的沙子和泥土的。你看，在没办法的时候，傲气的英国人还真能将就。

然而这样的好日子，中国商人没有过多久。鸦片战争之后，来华的洋鬼子越来越多了，他们试种茶树的热情也越来越高涨。终于，采用笨办法，用重金从福建不仅弄来了茶树，而且连同茶农一并运到了孟加拉。终于，中国的茶树落地印度，英国人也种出了茶。这个头开了之后大事不好，世界上会种茶的地方是越来越多了。很快，印度和日本的茶叶出口激增，茶叶出口不再中国一枝独秀，再后来，英国人就以喝印度茶为主了。中国茶农茶商，遭到了重挫。转过来，连中国的通商口岸，也进口英国人的带包红茶了。糊弄洋鬼子的买卖，最终遭到了报应。

但是，中国人断然不会因为一两件事的失败，而不去想糊弄洋鬼子的。只要跟洋人做交易，能糊弄一定糊弄。最早进入北京的英国公使夫人，由于一时半会儿雇不到中国仆人，得自己上市场买菜。虽说言语不通，但做买卖是最容易沟通的。不过，公使夫人马上遭到了糊弄——买来的火腿，回去一看居然是画在木头块儿上的；买来的肥鸡，肚子里塞满了稻草和鹅卵石。这种糊弄，并没有因为后来雇用了中国仆人而减少。在北京的老外发现，他们的中国仆人一定会想方设法弄他们的钱，有时候，居然是跟小贩子合作，一起糊弄他们。可是，几乎没有老外可以避免这种糊弄。

其实，这样的糊弄还是小规模的。大规模的糊弄，一般发生在战争期间。尽管这种时候，中国政府严禁中国人跟洋人交易，但是交易还是会发生的。只是，无论买多少牛羊，多少猪和鸡，都可能被掺假掺水。中国人一定会这样干的，这样干跟爱国没有半毛钱关系，仅仅是糊弄而已。

其实，中国人也不是特别爱好糊弄洋鬼子，凡被他们视为外人的，都会糊弄。内外有别，是国人的一个基本原则。对内也糊弄，坑害自己人那叫缺德，一旦被人发现，是见不了人的，绝对的没面子。但糊弄外人则是精明，不仅可以做，还可以拿出来炫耀。不仅这地方的人坑那地方的人，同一个地方的，城里人也坑乡下人。

当然，再往久远了讲，中国古代也有不糊弄洋鬼子的好时候，那是汉唐盛世，以及对外通商最多的两宋，而且多发生在大都市里。那时候，中国相当于现在的美国，全世界都向往，来的外国商人大多精明，精通汉语，想糊弄也糊弄不了。不糊弄，公平交易，反倒显出自家的大度、爽气。

只可惜，更多的时候我们一直在糊弄洋鬼子。想当然地认为洋鬼子好糊弄，其实，最后被糊弄的，反而是我们自己。

# 为何义和团的阴魂总是不散?

庚子年,八国联军用他们的枪炮,证实了义和团的法术、刀枪不入都是假的。练团的和不练团的,很多人亲眼看见了这个过程。若干四散逃命的义和团大师兄二师兄,在时过境迁之后,居然投身他们当年拼命追杀的基督教,做了虔诚的教徒,他们的逻辑很简单:洋教的菩萨灵,而我们的菩萨不灵。

但是,过了也就二十年,在中原大地上又有人拉起了红枪会。这个红枪会简直就是义和团的翻版。有老师宣称他们是峨眉山、武当山上下来的,有异人传授法术,只要喝符念咒,就可以习得这种法术,上阵就可以刀枪不入。老师在喝符念咒之后,叫人用刀往他肚皮上砍,果然一砍一个白印。学会了他教的"法术",众人们也是一砍一个白印。

当年闹义和团,是因为要反洋人和洋教,这回闹红枪会,则是因为军阀混战频仍,扰害乡里,农民要弄个武装组织自保。但是,即使义和团已经被证明不灵了,后来的红枪会却依旧照搬义和团的模式,把此前演过的戏,再演一遍。在 20 世纪二三十年代,红枪会遍及全国，只是有的地方不叫红枪会，叫神兵。红枪会的会众和神兵，在喝符念咒之后，真敢挥舞着大刀冒着枪林弹雨往上冲。

比较起来，红枪会对付军阀的士兵，要比义和团对付洋人有效得多。这是因为，洋人基本上不信义和团这一套，直接用枪炮招呼，而中国的士兵，虽然手里的家伙也不是吃素的，但是面对汹涌而来的红枪会，心里多少还是打怵。连一些军官都相信法术是灵验的，要士兵们用狗血来浇，破红枪会的法术，耽误了时间，人家扑上来，竟然被打败了。只要有这么一次，就会像传染病似的，传遍乡野，极大地鼓舞红枪会的士气，让军阀这边的人特别沮丧。而且，闹红枪会的时候，毕竟跟义和团那时不一样了。多年的军阀混战，散落在民间的枪支相当多。红枪会也有新式的快枪，开仗的时候，有狡猾的会首会悄悄布置人用枪从旁射击，军阀士兵发现周围有人被击中，由于注意力都被扑上来的赤膊的会众吸引，还以为是被法术打倒了，所以就更害怕了。

闹到后来，连跟北伐军打仗失败了的孙传芳，都有点儿相信红枪会的法术了。孙传芳是个喝过洋墨水的"海龟"，但受到严重挫败的他，见识了河南、山东、苏北一带的红枪会以后，觉得这种战法说不定可以借用。于是找来红枪会的老师，要给他们的部队传授法术，只是由于下面军官的抵制，才没有搞成。

都说中国人是一个很实际的民族，眼见为实，耳听为虚。然而，一个已经被血的事实证伪的义和团招法，却在过去不久依旧被人拾起。再来宣扬刀枪不入这一套，居然还是有大把的人在信，不仅信，而且身体力行，一次次拿自己性命实践这种法术。尽管有的军阀部队吃了亏，但总的来说，还是死伤的红枪会和神兵要更多。可是，刀枪不入的神话，却经久不衰，越传越神。

愚昧，已经深入到了这个民族的骨髓里，迷信，不过是愚昧的一种表现。多少年过去，人已经换了好几茬，但愚昧依旧，即使是破了产的神话，也照样可以蛊惑人，只要社会有这个需要，神话就一定会有人信。即便有流血的教训，也是白费。


# 今天，我们该不该讲义气？


古人朋友之道讲究一个"义"字，即所谓"朋友，以义合者"。朋友是五伦之一，按孟老夫子的说法，朋友讲信，后人将"信"解释为"信义"。人是群居的动物，活在世上，不能没有朋友，有朋友，就得有相处之道，这个"道"，就是信义。因为有义，才言而有信，相处起来才靠谱。

民间社会，对朋友之间的"义"字有更进一步的推演。晚清洪门的"海底"，最推崇的人物有两个，一是关羽，二是王伯当。这两个的形象都来自戏剧小说。推崇关羽，是说他华容道上放走了曹操，"拼将一死酬知己"。而说唐小说里的王伯当，死也要护着众人唾弃的李密，跟关羽有得一比。帮会推崇他们，为的就是这俩人义薄云天。其实，《三国演义》里还有一位，跟这两人有点儿类似，那就是哭吊董卓的蔡邕，敢于哭吊叛徒，为的不是社会公认的道德，而是两人曾经的情义，最后为此丢了吃饭的家伙，也是一个人物。只是因为蔡邕是文人，入不了"以武犯禁"的帮会中人的法眼。

显然，这里的"义"字，是超脱利害的，可以为之生，为之死，是那种为朋友两肋插刀的义气，人称江湖义气。这样的义气，实际上有两种表现：一是朋友之间相互扶助，二是行侠仗义，抱打不平。

这样的义气，在很长一段时间内是受批判的，说讲义气不讲原则。其实，真正的帮会义气，背后是有原则的。杀人越货可以，但如果触犯了江湖道义，欺负了弱小，睡了兄弟伙的妻子，一样三刀六洞，不能容情的。只是在很长一段时间里，即便是帮会，江湖义气也有点儿变形，只要哥儿俩好，做了什么缺德的事儿都会受到兄弟的包庇，的确有点儿不讲原则。

只是，后来批判义气却走了另一个极端。鼓励朋友之间互相监督，检举揭发。揭发的又不是什么缺德事儿，犯法的事儿，而是私下说点儿闲话，发点儿牢骚，每每被人举报，弄不好进了大狱，甚至丢了性命。越是朋友，越被领导鼓励这样干，有的人甚至成为眼线，定期汇报朋友的一举一动。到了后来，人人自危，自觉地在嘴巴上挂把锁。一旦哪个人"中奖"，被点名批判，那么，最先或者说最需要出来揭发他的就是他的朋友、同学、同乡，甚至亲戚，揭发批判越彻底，自己就择得越干净，否则，就可能被株连。最严重的时候，别说朋友，就是夫妻、父子之间，也一样有检举揭发。在大庭广众之下，人被剥光了，还要剔骨敲髓。社会中的人，被变成一个一个的原子，强大的统治机器需要面对的，永远是这样孤立无助的个体，便当极了。

这样一来，古来的朋友之道，自然是荡然无存了。眼下时兴的朋友，不过是"以利合者"，彼此互相利用，互通有无。如果你没有可以利用的价值，你也就没朋友了。危难相助的朋友不是没有，但不多，即使这样的朋友，在相助可能危及自身之时，也是会退缩的。

因此，同事之间，朋友之间，有谁遭遇了不公，劝几句的人有，真正冒着自己受损风险相助的人，少之又少。至于街头巷尾，公车地铁之上，敢于主持公道，出头冒傻气的，就更少了。那些傻乎乎践行道义的人遭了不该遭的难，相助相帮的不多，反倒会出来好些"理中客"，冷冷地说些不咸不淡的酸话，显示他们的客观理性。

偶尔还想践行义气的傻子，在人们眼里，就成了真正的傻子，被嘲笑讥讽的傻子。慢慢地，就被无声无臭地消化掉了。这个世界，变得越来越没人味，越来越无趣。

# 《二十四孝图》不是一个好教材

眼下，随着儒学的再次复兴，《二十四孝图》也再次走红，好多旅游点都张挂，很多地方为儿童讲授儒学经典，不仅有《弟子规》，还有"二十四孝"的故事。在好多人眼里，提倡孝道，无论如何都是一个好事情。

鲁迅先生曾经撰文，特意表达了对《二十四孝图》故事的反感，尤其反感这些故事体现的虚伪和残忍意味。"老莱子娱亲"，一个七十多岁的老爷子为了博自己的父母一笑，身穿儿童彩衣，而且"诈跌"，作婴儿状啼哭。"郭巨埋儿"，仅仅因为家贫，做奶奶的把食物给儿子吃，做父亲的就要把儿子埋了，幸亏坑挖到半截挖出一罐金子，这才作罢。

这是《二十四孝图》中最扭曲的两个故事，其他的故事其实也一样带有虚伪和残忍。在人家的宴席上揣几个橘子，被发现了就说是自己母亲爱吃，带回去孝敬母亲的，谁能证实呢？冬天里母亲要吃鲤鱼，这并非特别困难的事情，设法去捞可以，去买也行，脱光了躺在冰上，鱼就破冰而出，这不是故事，而是神话。怕蚊子叮着父亲，有钱买蚊帐，没有钱可以用艾蒿熏，自己脱光了躺在父亲床边，就能够让蚊子不叮父亲了吗？他家那里的蚊子，仅仅有一个小分队吗？至于双亲亡故，刻两个木头人顶替，妻子对木头人稍有懈怠就立刻休掉，不仅不负责任，而且矫情。

在有皇帝的时代，王朝政府都希望臣民忠孝两全，而孝子又是忠臣的基础，所以，孝就变成了绝对化的孝道。不是奉养父母，给他们养老送终，而是非得变出许多新花样来，才算是孝。"二十四孝"问世后的所谓孝子，每每要割股疗亲，父母病了，做儿子媳妇的割下自己大腿上的一块肉，熬成汤给他们吃。而跟孝道有关的烈妇和节妇，更是可怕。丈夫死了，最好是殉节，其次是守节，哪怕从 18 岁守到 80 岁，也必须守。这样的"孝子节妇"，才是历代表彰的典型，留下来的牌坊，大多是纪念这些古代"英模"的。

不仅如此，明清时代的法律明确规定，父母对于子女有绝对的支配权，可以买卖，如果父母认为儿子不孝，可以到官府告儿子忤逆，只要这样的告诉发生，儿子不管是否真的忤逆不孝，都死定了。甚至，如果父亲在追打儿子的过程中绊了一个跟头跌死了，那么儿子也要判死刑。反过来，即使父亲无缘无故杀了儿子，也可以免死。

不消说，孝道被法律和政治强调到这个地步，原本基于人类一般情感的孝就已经变味了，变成了残忍和虚伪，一种不人道的社会道德。而《二十四孝图》恰是这种社会道德的图解化的展示，而且从古至今，都是专门针对儿童的展示。显然，在今天，这样的展示不仅不可能真的教会儿童孝顺，而且会有很大的副作用。

其实，孝敬老人是人类的一般情感，并不专属于哪个民族。父母年老，需要儿女反哺、赡养和照顾，在古代社会本是一种常态。因为在那个时代，社会保障体系基本欠缺，养老问题只能靠养儿反哺来解决。针对相应的社会现实，提倡相应的社会道德，当然是必要的。但如果把这种道德绝对化，强化到不近人情的地步，甚至充斥残忍和虚伪，那么，不仅孝作为普遍道德不会被人们认可，而且每每会走向反面。

# 我们为什么要崇拜清官？

中国古代小说有这么一类，叫作"公案小说"，什么狄公案、包公案、海公案、施公案、彭公案之类。虽然有的重点描写的是跟着清官鞍前马后的武林豪侠，但清官却是不可或缺的"大块头"。像狄公案和包公案，重心干脆就是清官。不仅有小说，还有戏剧，也可以归为公案一类。

小说和戏剧是现实的反映，正因为人们有清官崇拜，才会有这样的小说戏剧，至于让清官跟武林人物搅和在一起，只是为了增加小说戏剧的传奇性，争取更多的读者。无论里面的武林豪侠有多少笔墨，他们也不过是清官的"狗腿子"。

清官的特点，是能为民做主。无论是公平断案，还是惩恶扬善，抑或惩治贪官，当然也包括杀掉陈世美这样的负心汉。一言以蔽之，就是为民做主。比较起断案时不吃请不受贿，一碗水端平，民众最乐见的当然是惩罚大人物。给包公弄三个大铡刀：狗头铡、虎头铡和龙头铡。老百姓最兴奋的，当然是对付官员和权贵的虎头铡和龙头铡的使用。包公戏里的一声"开铡！"下面一定人头攒动，掌声雷动。

其实，虽说公案小说和戏剧里的清官大多实有其人，但这些清官在现实中，并没有多少不畏权贵、惩治贪官的事迹。小说戏剧里的事儿，都是编故事的编进去的。真正敢对权贵动刀子的，其实是汉代的酷吏，即使是皇亲国戚，他们也照样下狠手。不过，这些人杀起平民百姓来，也毫不手软，死人一片片的。只是酷吏们在民间小说戏剧里，基本上没有踪影。虽然说，每个朝代都有几个操守不错的官员，但以民间清官的标准来衡量，一个都不够。可以说，历史上这几个上数的最著名的清官，其实都是民间造神造出来的。人们希望有光，于是光就来了。

尽管如此，民间对于清官的渴求却始终不渝。清官在民间，就是青天大老爷。对于直接管着老百姓的每一任县太爷，老百姓都希望他是清官，年年盼，年年也盼不来。于是只能退而求其次，盼着县太爷的任期长一点儿，别一两年，饱肚子的就走了，换一个空肚子的。同时，指望高一级的官员，或者皇帝圣明，能够主持公道，其中，特别指望的就是那些人称八府巡按的监察官员。尽管这个官衔只有明代有，但小说戏剧里，将之安得到处都是。

盼清官为民做主，是因为民给自己做不了主。只要有人给民做主，小民下跪磕头，跪多久，磕多少，都没有问题。可惜的是，历朝历代，小民盼了又盼想了又想，能算得上清官的屈指可数。连那些杀贪官造反的好汉，一旦成了气候，还没等登基做皇帝呢，就也成了贪官，作威作福，欺男霸女。

所以，清官是小民的一个情结，却是一个死结。清官戏和小说，看着无论多么的解气，多么的过瘾，其实都是意淫。不是我煞风景，青天大老爷只活在你的心中，或者梦里。

梦要不醒，这国没出息。

## 拼爹，还是拼自己？

作为一个具有悠久宗法传统的国家，宗法血亲之间的互相帮助，具有某种义务的性质。但是，在传统的中国，高官子弟固然可以凭借父辈的余荫做官，但由于有科举制的存在，稍微有点儿出息的高官子弟，都不屑于走这条路。朝廷也只对于科举正途出身的人比较重视，所以，官场上的"拼爹"现象，并不严重。官场如此，其他行业也是如此。商人子承父业倒是常事，但继承父辈事业的子弟，仅仅可以利用父辈的关系，却无法依靠父辈的关系和威望维持自己的事业。自己干不好，再大的家业也得垮台。工匠也是如此，好些工艺，固然传子不传女，或者传内不传外，但接班的人如果不能发扬前辈的手艺，再好的工艺也会失传。至于人们看不起的艺人，更是如此。不管你的上一辈有多大的名声，自己身体条件不好，用艺人的话来说就是祖师爷没赏这碗饭，这行就做不了。自身条件好，不卖力学艺，同样不行。实际上在古代，多数行业都有市场竞争在管着，有市场，就没法拼爹。也就是说，在古代中国，人要想混好基本上得拼自己。

然而，眼下却拼爹盛行。大学生毕业找工作，如果爹行，一般都靠爹。即使爹不行，亲戚中有行的，也能管用。一般来说，爹或者亲戚似乎也义不容辞，管多管少都会管，挖门子倒洞，找关系托人，怎么也得使劲儿。拼不了爹，没有关系的，只好徒呼负负，唉声叹气，自认倒霉。

拼爹盛行，导致的一个很大的恶果就是社会阶层固化。以前说上大学改变命运，现在的贫寒子弟即使考上名牌大学，学习成绩也不错，最后也没法跟官宦子弟站在一个起跑线上。如果年轻人身居下层，无论如何努力，都无法改变命运，积怨之火升腾，那么社会的动荡就不会太远了。

其实，拼爹对于不能拼的人，是不公平和灾难，对于能拼的人，也未必是好事。拼爹者，多半会产生依赖思想，能靠就靠。靠久了，自然翅膀麻痹，能力退化。更有甚者，拼爹气氛一旦形成，有资格拼的人，自己从小就往公子哥、纨绔子方向努力，玩什么什么行，干什么什么不成。这样的纨绔子，相对于他们的爹就是退化。就算爹留下的老本足够，也是坐吃山空，最终还是败家了事。如果老爸是官场中人，死后还能剩下多少资源？还有多少人会买他的账？更何况，如果他在世的时候还有政敌，政敌这个时候还在，那就更糟了。

能拼爹之辈，一般都会比较骄横，借老子的权势和钱财骄人。这样，就会更加激怒那些没资格拼爹的贫寒之辈，阶层之间的仇怨火焰会因此而被煽得更旺。显然，这样的状况对双方都不利，等于是在每个人前进的路上，无端埋下了更多的定时炸弹，不知什么时候、什么地点就爆炸了。

古人都能拼自己，我们为何要总体退化呢？


# 爬上去之后又怎么样？


现在的人们，每每感慨上升渠道堵塞，上升困难。与此相关的一个问题是，即使爬上去之后又会怎么样？爬上去之后，又跌落下来的，无论在商界还是政界，都是大把的。这种跌落，不是正常的破产或者免职，往往由于"意外"。

说起来，这是中国的一个老问题了。红楼梦里的《好了歌》，"好便是了，了便是好""陋室空堂，当年笏满床；衰草枯杨，曾为歌舞场"。世事的变幻无常，不仅仅由于乱治交替的历史，更因为喜怒无常的权力，以及含混不清的产权。

马克斯·韦伯说，做官是古代中国最稳定、收入最丰的职业。但是他只说对了一半，另一半是，这个职业的风险也足够的大。人进入官场，都想爬得高点儿，但爬高了，伴君如伴虎，说不定哪天就从高处跌落下来，比平民还不如。即使是皇亲国戚，天潢贵胄，被抄家籍没丢脑袋的事儿，也跟从草根爬上来的官员一样多，钟鸣鼎食的享受，美轮美奂的宅邸，不知哪天就换了主儿。现在保存最完整的清代王府要数恭王府，而恭王府的前身是老庆王府，再往前，则是赫赫有名的和珅花园。只要清朝还在，再好的宅子，到底姓谁真不好说。庚子年的户部尚书立山，做过多年的内务府大臣，得宠得不得了，也肥得不得了。但就是因为在御前多了句嘴，对义和团不大以为然，结果就入了大狱脑袋搬家。生前令人艳羡的宅邸，最终改了姓。清朝如此，再往前推多少代也是如此。唐朝一个专门给高门大户修宅子的工匠说，我修的宅子，从来都看的是宅子换主人，从来没见过墙坏的。

官场如此，商界也好不了多少。无论挣了多少钱，官府如果要拿走，拿走也就拿走了。寻常的民间借贷，打官司在理论上是可以得到保护的，但如果官府征用，则没理可讲。多少代的商人，命运都是如此。汉武帝打匈奴需要钱用了，一个《告缗令》，多少商人就都破家了。历代的盐商，都说是大富豪，但只要皇家看上了他们的银子，一个都跑不了。清代十三行的行商，跟盐商一样，都是自己花钱从官家那儿买来经营外贸的许可证，但只要你发财了，官家惦记到了你，要你吐出来多少你就得吐出来多少。鸦片战争期间，前线的清军将领打不过英国人，又害怕英国人攻城（广州），私下里偷偷给英国人付"赎城费"，一下子就六百万两，绝大部分都是十三行的"贡献"。

所以，在中国绝少有百年老店，一个商行，能维持两代已经够长了。而我们的近邻日本，几百年的老店、商人世家比比皆是。研究者说，这是因为中国的继承制度有问题，不像日本是长子继承制，我们是诸子平分制，光分家就把家给分穷了。其实，在我看来，这样的诸子平分制，在很大程度上是政治制度塑造的——既然世事无常，家产难保，何不早点分散，兴许总有一支能够保全。

说一千道一万，没有一个稳定的私有产权保护制度，没有健全的法制，人上升难，爬上去了，想要保住地位和财富，也难。


# 一个"养"字的尴尬


一个男人对女人说，我养你啊！算不算是情话，有点儿小小的争议。其实放在中国的语境里，真的不好绝对的否定。自古以来，男人养女人，女人要靠男人养，已经成为真理性的常识。在一般情况下，一个男人说要养一个女人，多半是要娶她，为她负责终身。大声地说出来，不仅是情话，而且是爱的誓言。

古代，男人赡养妻小是天经地义的责任，如果能尽这个责任，别的方面马虎一点儿，也算一个好男人了。即使在今天，一个男人说他挣钱养老婆，有人会指责他说得不对吗？宋代以后，缠足之所以能在中国被推行开来，在很大程度上是因为这个"养"字。父母即使含着泪，狠着心，也会给女儿裹脚，全然不顾女儿撕心裂肺的疼痛。因为他们知道，不这样做，女儿就可能嫁不出去，嫁不出去，就没有人养了，女人以后的生活，就没有着落了。

当然，这种养，是建立在男权话语基础上的说法。在这个基础上，女人的劳动，从生儿育女到家务劳作，都是不被承认的。一个家庭请个女佣做家务，无论古今，都得付费。但是，自己的女人在家里做同样的事儿，却没有人给钱，不仅不给钱，连估值的必要也没有。

更何况在古代中国，很多地方的女人不仅干家务，而且外面的活计，从养殖到田作，都是由她们来干。南方由于女人要下水田，所以缠足这事儿就不能那么认真了。男人为了偷懒，大脚婆也能接受了。只有缙绅之家的女孩才必须裹脚，而农家常见大脚婆娘。

即便是这样，很多除了喝喝老酒、打打小牌、晒晒太阳的男人，号称也在养女人，担着养家糊口的责任。常见的说法是，他们是干大事的，比如盖房子、做大买卖。可是，一个农家一辈子能盖几次房子呢？大买卖，一次机会都没有。可是，这样的人家，女人居然也承认她们是被男人养的。男人女人都认账的话语，才叫男权话语，否则，只能叫作男性话语。

中国最早的妇女解放运动，叫作"不缠足运动"，或者"天足运动"。这个运动在最初的时候，跟女人基本无关，无非一帮大男人在折腾叫唤。折腾这场运动的"先进中国人"，想法很简单，女人不缠足了，就可以把女人解放出来，让她们做男人的工作，甚至替男人去当兵打仗。如果女人跟男人的比例是一半对一半的话（其实，当年女人能有百分之三十几就已经不错了），就等于解放出来一倍的劳动力，那么，中国的富强岂不指日可待了吗？我曾经把戊戌维新期间的进步报纸《湘报》翻了个遍，里面所有的不缠足言论都是这个调调。不消说，这些"先进分子"对当年中国女性的劳动状况，如果不是根本不了解的话，就是根本无视。可悲的是，后来几辈子的"先进中国人"，也都是这副德行。

几辈子的中国改革者或者革命者，骨子里都是富国强兵主义者。解放女人，充其量不过是富国强兵的一个副标题。让女性出来像男人一样工作，自己养自己。对女性的解放，不是没有价值，但问题是这样的解放，一样无视女性劳作的价值。我们父母这一代出来工作的女性，很明显要比她们的男性同事多了几倍的工作量。即使出来工作了，家务事还是她们的。男人下班了，可以喝喝茶、抽抽烟、打打牌，但女人却得忙里忙外。这些家务活儿都跟养家无关，付出也没有人认账。所以，女性即使出来工作，晋升也难。一个女人要想得到单位的认可，非得在把家务活包了的前提下，比男人在单位里干得还好才有可能。如果不是"铁姑娘"，真的没戏。

"五四"时期，鲁迅先生关于"娜拉出走之后"的忧虑，当然是有道理的。但问题是，即使经济独立，女性也走不出家庭。连鲁迅自己的爱人许广平，一个新的知识女性，原本完全可以经济独立的，跟鲁迅结合之后也变成了家庭妇女。而且他们一起，还要养着另外一个女人朱安。

当今之世，事情已经发生了变化，从男性不再羞于做家务，到无论男女都不会做家务了。养了孩子，丢给老人拉倒。但是，能被男人养着，依旧不是个丢人的事儿。肯养，也有能力养的男人，只要赡养费给得足够多，养几个，有些女人也不怎么太在意。这世界，的确有不肯跟别的女人共享一个男人的女人，但是也不能装着看不见，还是有大把的不在乎这个的女人。在富有阶层中，"小三小四"的现实，一点儿都不扎眼。跟千年前的中国相似，能养，而且肯养的男人，还是能被女人接受的。至于其他的，就是小节了。

不能否认，某些西方学者认为的女性解放的黄金时期的中国，其实骨子里的观念变化不大。女大学生的严重就业歧视，其中一个关键因素，是全社会对女性在生养方面的付出和劳作没有认识。一提到养，还是古代的旧套路，男的女的全认账。

在这样的前提下，一个男人，肯养，而且高供给地养女人，当然是情话了。在女性这边，也是一样。

# 一言难尽的"饭局姑娘"

　　网上爆火的"饭局姑娘"一文，当然很猥琐，猥琐就猥琐在那一股子从棺材里挖出来的穷酸文人气。一班儿码字的变体民工，没事儿攒个饭局，桌上有个把姑娘或者少妇，无非是人间常态。男女搭配，不只干活不累，吃饭也多点儿兴头（其实也不见得人人都有这份雅兴，没有姑娘的饭局也多了去了，有些人要借局谈事，多个不熟悉的女人，反而不便）。真是让人服了，居然能把这样的饭局，写得风姿摇曳，骚情万种，好像是在八大胡同吃花酒——你以为你自己是林白水，还是邵飘萍?

　　召妓侑酒，是古来酒席的传统。有家姬舞娘的用家姬舞娘，没有家姬的，就只能从青楼里找，或者去青楼开宴。到了民国，无论多大人物，泼天的富贵，家里养一堆歌儿舞儿的，也没听说过了。攒局吃饭，无非是叫条子，吃花酒。所以，北京八大胡同的"清吟小班"，最上等的，不仅姑娘要漂亮，曲儿唱得好，而且饭菜要精致。当年，北京城最好的酒菜不在什么八大楼，也不是什么谭家菜，都在八大胡同。在上海，四马路上的书寓也是如此。对于牛叉的男人，美食和美人，两者都不可缺。

文人叫条子吃花酒，多半是傍着大人物，让他们自己破费，肯定肉痛。当然，这些场合都少不了文人。大记者人物风雅，来头大，政商两届的大人物看得起他们；小记者，比如上海的《晶报》，北京的《消闻录》和《日知小报》这种专登市井新闻的小报记者，就更有用。评选个花榜，姑娘们能不能当上"花国"大总统和部长，全靠这些人一支笔来鼓吹。当然，在北京，大人物最看重的其实是日本人办的《顺天时报》，所以《顺天时报》的日本名记者中国通辻听花，也是八大胡同的常客，最受小姐们的追捧，哪个能被辻听花在《顺天时报》上写篇文章捧一下，立刻身价百倍。当然，这个辻听花跟中国记者不一样，他吃花酒，可不是蹭的。

看过蹭花酒的文人们写的文字，味道就跟现今那篇酒局姑娘一样，酸、腐、淫，还带着不可遏制的自作多情。

虽说出条子，吃花酒，妓女们多半不陪睡，但也是生意的一种。八大胡同的姑娘，眼里真正有的，不是北四行的大老板，就是政府里的要员，再就是进京公干的军头。连对胡同里的常客，两院（国会参众两院）一堂（京师大学堂）的老爷们，也不过是假意应付。即使跟文人们打个情，卖个俏，来个飞眼，也不过捎带顺手。如果文人们真的自作多情，用文字意淫一下也就完了，千万不能当真。这点，民国的记者大都有自知之明。真要使出浑身解数骗姑娘，也得冲名媛下手，万一得手了，就掉进黄金窟了。想要在胡同里碰上一个有百宝箱的杜十娘，绝对的春秋大梦。

今日文人笔下的酒桌饭局的姑娘，都是个顶个的良家。就算里面有个别有企图的，跟胡同里的名妓毕竟不是一回事。没事叫上人家，混过几顿饭，打打情，骂骂俏，讲几个黄段子，自己就有了吃花酒的感觉，笔下那股子得意，让人看了都恶心。

也许，曾经有过文艺女青年追文人的好时候，但凡写过几篇小说，出过几个报道，就成了被追捧的对象。可惜，那个时候稿费低，想攒饭局多半没有资本。两瓶啤酒，一碟花生米，只好自己借酒浇愁。等一干文人有了资本，可以攒局喝酒了，这样的文艺女青年大半都醒了。有本事的自家写了，开个自媒体，比当年的名记还要火爆；没本事的，也多半嫁人，当年的文艺就当柴烧了。新一代文艺女青年，但凡有姿色，能有几个看上文人的呢？文人的饭局上，能有几个半老的徐娘，也就蛮对得起他们了。

过去，吃花酒是个出文学所在。自古以来，所谓醇酒妇人，其中的妇人，有几个是自己的黄脸婆呢？没有醇酒妇人，哪里来的诗词歌赋，哪里来的文学呢？杜牧和柳七是花丛里泡大发了，耽误了自己的功名，其他人其实也不比他们好到哪儿去。花丛里出的文字，美则美矣，但男权的味道太浓。那个场景，浅斟低唱，男欢女爱，女人不知自重，男人没有尊重。只有极个别的人，才能跳出这个窠臼。流毒所至，民国也好不了多少。政府都明令禁止缠足多少年了，都市里的文人居然还有人扎在一块儿称颂小脚，到今天翻看他们留下的《采菲录》，依旧觉得酸臭扑鼻，味儿得紧。

很不幸的是，这个味道，我在那篇"饭局姑娘"的网文里，又找到了。

其实，真正的饭局姑娘，还是有的。只是，她们不在文人攒的局里，而在大款的会所里，一个个色艺俱绝，品位极高。这些姑娘，现在是不是在饭局里我不知道，但是不久之前，肯定是有的。

千万别吃醋，泛酸伤胃。


# 文化产品与豆芽菜


电视行业，眼下是多事之秋，本身在网络的冲击下危机四伏，靠引进节目解困，却又被人批评为抑制了本土文化的原创力。引进文化产品，会不会抑制本土文化产业的创造力？这其实是个老问题了，至少在中国已经有百多年的历史。

但凡后发国家，几乎都会遇到一个难题，那就是是否要保护本土产业。同样一种产品，如果有进口的，也有本土的，就工业品而言，一般都是本土的竞争不过进口的。如果不由国家出面加以保护，很可能这个产业在本土就没戏了。但同样的难题是，如果过度保护，又会使本土产品难以成长起来，形成不了竞争力，永远在国家的保护伞下过活。

所以，在 20 世纪上半叶，各国的应对措施一般是以保护为主，但是到了今天，至少对于工业品，保护的调门已经不大高了。如果哪个国家保护过度，还会在世贸框架内被提起诉讼。文化产品，也是产品。但这样的产品跟其他工业品有所不同，不是工业基础的比拼。即使基础比较薄弱，只要本土人的文化创造力比较强，一样可以后来居上，不仅可以在自己本土称雄，还可以走出国门。

在民国时期，中国国家力量很弱，谈不上对本土产业的保护。当年的上海，电影的放映几乎跟西方各大都市同步，好莱坞的电影长驱直入，一丁点儿障碍都没有。跟好莱坞相比，中国稚嫩的电影业，是参天大树和小树苗之别。但是，中国的电影业硬是在进口电影的泛滥之中成长起来。从无到有，从默片到有声片。既有商业电影，也有文艺片。民营电影厂没拿到政府一文钱的补贴，却都活得挺好。相反，某些国民党政府补贴的电影厂却混不下去。到了 20 世纪中叶，中国的电影已经在世界上有一定份额了，某些电影即使拿到世界影坛，也毫不逊色。

其实，不止电影业，其他的文化事业，甚至轻工业领域，中国人也在没有丝毫的国家保护的情况下，开出了自己的一片天，创出了自己的国际名牌。看来，国家的保护，在最初也许有点儿必要，但一旦持续下去，就是产业的灾难。对于文化产业，更是这样。保护的大树下面，长不出发育良好的树苗，只能长出豆芽菜。

## 创新的制度条件

满世界都在喊创新，不错，历史是创新者创造的，没有创新，历史就停滞了。一个民族缺乏创新者，是没有出息的。但是，一个民族要想多些创新的人，不是灌点儿古今中外创新成功者的励志鸡汤就行的。创新，需要一些基本的制度条件。

其一，是自由的允许度。唐诗是国人的骄傲，直到今天，能背几首唐诗的人还是不少。但是，同样为古代的流行文体，八股文今天谁还记得？明清时节的时文名篇，当时的读书人耳熟能详，到了科举结束，就被人遗忘了。唐诗和八股，都是当年的应试文体，但一个为人喜闻乐见，一个不过是考试资料。个中的关键，在于八股文有严格的政治禁律，只能按照四书上朱熹的注释的路子，代圣贤立言，不能偏离半步，否则将被治罪。如果离经叛道，是要被杀头的。而当年的唐诗，即使进了考场也没有太多的禁忌，只要合乎律诗的规则，尽可以自由发挥。历朝历代，清朝的文字狱最为严苛，由此导致中国文化的整体衰落，文学艺术，只有作为个别案例的小说得以漏网，而学术上，只有考据学一枝独秀。

其二，要有严格的知识产权保护。中国古代，发明创造者不少。但是，造纸术的发明者又从中得到什么好处了吗？没有。雕版印刷术的发明者找不到了，而活字印刷术的发明者毕昇，到死也不过是个印刷工人。没有专利保护的结果，是活字印刷术在中国反而没有发扬光大，最终花落旁家。古代的手艺人，为了保护自己的绝活儿不被人偷走，自己想出了保守秘密的土法子，就是传子不传女。可一旦子孙不肖，无法领会其精髓，绝活儿也有消失的可能。在那个时代，师傅的手艺，如果实在需要传给徒弟，大多会留一手，留来留去，手艺也就越来越差了。工匠如此，艺人也是这样。余叔岩跟谭鑫培学艺，每次都得贡献家藏的宝贝一个，否则谭老板就不好好教。梅兰芳之所以牛，是因为有行外的文人帮他，引进了西洋歌剧的因素。如果师傅倾囊相授，那么很可能教会了徒弟，饿死了师傅。这种师傅带徒弟，绝活儿只传子嗣的模式，不仅科学无从产生，技术也只能在民间低层次运行。李约瑟说，古代中国有两个关键的东西没有发明，一个是螺丝连接，一个是曲柄连杆。缺了这两个关键东西，中国的制造业就成不了气候。不是中国人缺乏发明这些东西的聪明才智，而是师徒作坊式的工艺模式，阻碍了人们向前跨越，突破障碍。而历朝历代，政府从来没有想过设置一种制度，来保障工艺上的产权。

这其中，保障创新自由的制度，是至关重要的。民国战乱不已，国力衰落，民生凋敝，但就是因为有一点儿创作的自由，文学艺术乃至学术上都有不凡的成就。今天所谓大师者，基本上都是民国产物。对于精神产品的创造者而言，即使没有完善的知识产权的保护制度，只要有那么一点儿自由，他们依然会创造。

# 阅读障碍症

就85后和90后的一代人而言，他们中的好些人对《红楼梦》和《三国演义》之类古典名著的了解，基本上是通过电视剧。甚至连金庸的武侠小说，他们也只看电视剧不看原著。阅读文字，大概仅限于网上，而且也只看网络小说，那种语言风格跟他们特别贴近，几乎都是不用动脑筋的穿越、种马类的货色。有人说，这是读图的一代。

读图的一代，不是识字无多的文盲，他们绝大多数都是大学生，或者读过大学的人。其实，不是他们不喜欢《红楼梦》，不喜欢金庸的武侠小说，但看电视比看书更省力，更有感官的愉悦。一个媒体人祭起替人读书的旗帜，居然成了自媒体的领军人物，有几百万的微信粉丝。因为新的一代想知道一点儿书的内容，尤其是传说中相当时髦的书的内容，却又懒得去读，有人替他们去读，消化了反刍喂给他们，他们很高兴。反过来，由于长期懒得阅读，他们对文字的理解力已经大大地萎缩，稍微有点儿难度的文字，就看不懂了。

人类获取信息有很多种渠道，但自打有文字以来，阅读就是一个最主要的。别的渠道之所以不及阅读，关键是阅读可以促进人们的思考能力。的确，阅读比起听讲，比起看影视画面，都要费力一点儿，但正因为这个费力，才能逼得你整合、分析、归纳，有时候，还需要查阅工具书和其他资料。从这个意义上说，阅读也是一种创造，仅仅比写作低一点儿的创造。其实，很多的写作，包括学术研究，都是大量阅读之后的产物。

历史上，也有读书读多了变成书呆子的，也有不读书而成就帝王之业的。刘邦不读书，喜欢拿儒生的帽子撒尿；刘备不读书，但知大略，那点儿大略，大概是听来的；朱元璋不读书，喜欢听人讲书；李自成和张献忠，都是听人讲《三国演义》，从中悟出带兵打仗的策略的。但是，历史的传承，文明的演进，却还是靠着一代代读书人的读书创造延续的。读书读成书呆子的，很多不是真正的呆子，只是日常生活能力有点儿退化。而那些不读书的混世魔王，真要成事，还非得读书人帮忙，不帮忙，或者帮得不够，大体上也只能做一个草头王。

人是各种各样的，不读书能成事的，只是绝少数的特异品种。任何一个时代，都不可能涌现成批的刘邦和刘备。多数人，只能通过阅读成才，慢慢升上去。人作为动物界的一种异类生物，也正是因为他们阅读文字的能力，才逐渐进化。显然，懒得阅读，甚至出现阅读障碍的人，大脑是会退化的。当今之世，人们每每感慨傻子越来越多，很多骗子，用一些上一代的骗术就可以轻而易举地将我们新一代的大学生甚至研究生蒙了，说明这种退化，还真是存在，而且大有蔓延之势。

## 搞笑背后的苦涩

最近兴起一股文言文热，用文言文翻译网络时髦用语，用文言文翻译英文歌曲。多数的"翻译"，其实就是搞笑，根本不算文言文，更接近装腔作势的"甄嬛体"。但是，这样的翻译在一些网友眼里，却很有市场，很多人真的佩服这样的译者，夸他们有水平。

在中国翻译史上，曾经有过一个用文言翻译外国著作包括小说的阶段。五四新文化运动之前，中国就没有白话文，那时的人们遭遇西方文化的时候，首先想到的是文言文这种语言工具。现在已经没有多少人看严复的译作了，林琴南的翻译小说也成了专业人士才会接触的博物馆藏品。但是，在他们的那个时代，风靡天下的其实就是这样的译作。

然而，自五四新文化运动之后，欧式白话文流行，学校和社会，文言文读物的比例越来越小。我们中小学的语文教学，基本上无视汉语的规律，按照英文的模式来教汉语，讲语法、词性，进而进行字词句的分割，即使讲一点儿文言文，也无非是将之拆分成一个个的所谓知识点，然后弄出标准答案，让学生背诵，以便考个高分。这样的教育导致我们一代代人的语文水平下降，很多学生已经没有了欣赏美文的能力，更不用说欣赏古代语文之美了。

然而，毕竟这个民族有着几千年的文字传统，对文言文的欣赏并没有因反复的打击而消失。近年来，重视文言文的呼声再起。好些年轻人，包括对古文涉猎不深的年轻人也开始赶时髦，我在课堂上，也屡屡发现有学生用所谓的文言文做作业的。但是，客观地说，现在这些年轻人由于对文言文用功太少，无论是作的文言文还是律诗，都大成问题。

当然，有问题不要紧，有爱好就是好现象。多读点儿文言文，尤其是古代优秀的美文，的确是增强汉语能力的不二法门。但问题的关键在于用功，不能浅尝辄止，知一当十。跑到网上卖弄不要紧，但要争取越卖越好，不能总是越不出"甄嬛体"的藩篱。要想写好文言文，关键是肚子里要有一肚子古人的好文字。

# 附 录
# 泡在历史里的我

# 我曾经是个有理想的人

我曾经也是一个有理想的人，那是在小学三年级的时候。我上学是在黑龙江虎林县，记得学校叫虎林县完全小学。对"完全小学"这四个字的意思，是成人之后才明白的，当初稀里糊涂，就上了。那年我六岁，还不到上学的年龄，但幼儿园是死活不肯去了。妈妈当时做商店的售货员，有点儿走后门儿的特权，就给我走了后门儿，进了小学。

对上学第一天，我几乎没有什么印象了，好像班级很大，人很多，老师教的几个字在家里都认过了，似乎就是"天地人口手"之类，不像几年以后，一上来就学"毛主席万岁"。上学没几天，就随着老爸的调动转学到了佳木斯，进了农垦总局的子弟小学。

班主任是个女的，很刻板，也很严肃，上课总是让我们背着手，直挺挺地坐着。这个标准姿势，除了个别女生，没有几个能善始善终的，我是两分钟不到就垮了下来，手不知道放哪儿了。因此，凡是她的课，讲什么了都记不住，只记得她厉声纠正我们的姿势，呵斥又呵斥。当年，我最喜欢的是音乐课，一个胖胖的女老师，随我们怎么坐。冬天冷，她就让我们围着火炉坐一圈，一边玩一边上课，特别舒服。可惜，这位女老师不久就不见了，传说是因为什么生活方式的问题，被抓了。

在这样的班上，我的成绩不好也不坏，其他方面的表现也一般般。所以，入少先队的事儿根本提不上日程，我自己也无所谓。平时也不算淘气，没怎么闯过祸，老师也不来家里告状，因此也不挨揍，乐得逍遥。

这样的日子过了差不多两年。"文革"前一年，父亲被下放到一个不大的畜牧场工作，家随即搬了过去。我们过去的时候，这个畜牧场没有自己的学校，房子还正在盖。场部人家的孩子，都在兴凯公社小学读书。我也插班在了这所破破烂烂的公社小学，草房子，破桌椅，教室里黑乎乎的。

不知为何，转学之后，原来成绩平平的我突然感觉出类拔萃起来。老师开始要求我进步了，意思是要我申请加入少先队。一学期下来，居然真的就入队了。那个年代，入少先队不像后来人人有份，还是得看成绩看表现，当然，也得老师认可。尽管如此，长期落后的我还是感到挺突然的。后来我二哥告诉我，他转学过来之后表现更突出，被选拔进了少先队大队部。所以，一旦候选名单上有我，人家就马上批了。

做少先队员，是要上台宣誓的。在那一刻，我真的感觉我有理想了。不仅是为主义和事业而奋斗终生，而且要争取解放世界上三分之二的受苦人。不言而喻，我就是那不受苦的三分之一里面的一员。其实在我入队的时候，据说苏联和东欧社会主义国家又"修"了，重吃二茬儿苦，这样的话，不吃苦的人到底还有没有三分之一，已经要打很大的折扣了。

当然，当年的我不可能想那么多。在红领巾飘在脖子上的时候，一度感觉相当飘。每天睡觉前，都会把红领巾轻轻地摘下来，叠好，放在枕头底下。在抚摸着红领巾的那一刻，理想在心里飞。

然而，不幸的是，红领巾还没有戴旧的时候，"文革"开始了。没过多久，广播里传来了少先队被解散的消息。再接下来，我成了"狗崽子"，完全不配有解放三分之二受苦人的理想了。我此时的班主任老师是个出身贫农的运动健将，成天忙于斗人，对我这样的"狗崽子"，有天生的敌意。加上我还跟他顶过嘴，说他出身贫农也不该吃老本。然后就被他简化为贫下中农吃老本，成了反动言论。班里再搞阶级斗争，上前面挨斗的，就是我了。

在那段日子里，我曾经有过的高大上理想，连我整个人一道，切切实实被踩在了泥里，烟消云散了。忽然想起鲁迅《阿Q正传》里赵老太爷的一句话：呸，你也配！

# 作为历史拐点的高考中的我

自打 1977 年恢复高考以来，中国每年一次的高考已经有四十次了。但是，人们逢五逢十纪念的，也就是 1977 年，也许还要加上 1978 年开头这两次。每到这个时候，社会各界人士，好像总有好些话要说。

当然，这两次高考，的确有点儿传奇性——还没有改革开放，但高考却冷不丁恢复了。在这两届高考之间，政治形势一日几变。1977 年高考，黑龙江的政治试题还要论证"无产阶级文化大革命"的伟大胜利；而到 1978 年高考结束，"文革"已经被否定了。180 度的转弯，不过几个月的工夫。

有消息说高考要恢复的时候，我正在黑龙江兵团四十团的一个连队里做农工，干的是兽医的活儿，但"妾身未明"，领导并没有明确我就是兽医，所以，时不时地还要帮养猪班的人干点儿活儿。消息传到我耳朵里的时候，我正在猪圈里给猪打针。自家有病自家知，对于自己能不能参加高考，心里一直打鼓。因为，我中学毕业前夕被人告发，说我说"文革"的坏话，结果被大整一顿，全团批判，全师通报，连毕业证都没有。自 1974 年中学毕业以来，一直在夹着尾巴做人，做一个又脏又臭的猪倌。其间，连写个小说散文想要发表，每次也都被挡在政审上（杂志发稿前，会发封信给我们团宣传部，询问我的政治状况）。

事实上，此番参加考试，我们团虽然没有拦我，但我心里有鬼。我们团也没有几个人认为我能考上——倒不是担心我水平不行。其实，那一年由于是仓促上阵，各省出题，考题在今天看来，相当的弱智。数学题连我这个没怎么学过、也没有复习的人，大体都能做出来。我考的是文科，语文、数学、政治各一张卷，历史、地理一张卷，卷子上就没有什么难题。古文翻译，就是《列子·汤问》上的《愚公移山》，对我来说，是小菜一碟。跟我同考的上海知青，把"愚公长太息曰"，翻成了"愚公的大儿媳妇说"，我听了也没笑，因为比他差的人更多。当年应考的，我们那一个小小的团看上去满坑满谷。初试的时候，就有一大批人趴在桌子上学张铁生给领导写信，说自己虽然不会答题，但根正苗红，思想进步，请予考虑云云。所以，77 级大学生自夸能在十万比一的重围中杀出来，也用不着太自豪，当年整体上，国民的知识水平实在是有限。被拔上去的，不过是稍微长一点儿的筷子而已。

我 1977 年的考试，没有结果。后来托人打听，我的分数还是挺高的，400 分满分，我考了将近 300 分。如果没有其他因素，第一志愿北大中文系应该是有希望的。但是我政审不合格，白考了。人都是以成败论英雄，无论什么原因，你没考上，就是失败者。

然后就有人瞎出主意，说是你政治上有问题，就别考文科了，改理科吧，理科兴许政审会松点儿。然而，78年的高考已经开始正规化了，考理科，数理化三门课，每门100分。对于我这个没有学过，也没时间复习，连像样的教科书都没有的人来说，近乎一个不可能的冒险。进了考场我才知道，数理化尤其是数学考卷上的大多数考题，我连见都没见过。物理化学还能蒙及格，数学则根本没戏。幸好，我语文和政治考得比较好，而政治能考好也不是因为我懂，而是临上考场之前一小时，捡到了一本复习资料，从那上面我才知道，原来政治题要先答定义，然后答内容，一、二、三、四……仗着年轻，记性好，一小时把小册子居然全背了下来，上考场倒出来就是。总分高不了，但过本科线还没问题。

其实，若不是考试结束，"文革"被否定，我否定"文革"的政治问题，依然会成为我上学的拦路虎，名落孙山，是可以肯定的。尽管这样，我的政审结论，依旧是三类——专业受限。更不幸的是，在录取的时候，我报的第一志愿东北农学院不招生了——估计是77级招多了，第二志愿黑龙江八一农垦大学畜牧兽医专业也不招生（那年头，招生目录根本不作数的），把我塞进了农业机械专业。苦苦学了四年，也没有让我对这个到处都是铁块块的专业产生兴趣，就只好改行了。从此，这世上少了一个可能会靠谱的兽医，一个肯定不靠谱的农机工程师，多了一个卖文为生的半吊子历史学者。

## 我的逃票经历

在中国，我们这个年龄的人，没有逃票经历的估计像白乌鸦一样稀少。改革开放之前，整个社会都是公有制的，私人家里没有什么东西。在我所在的农场，真的就是夜不闭户。多数人家出门连门都不锁，即使锁，钥匙也放在门框上，锁头形同虚设。所有东西都是公家的，大家能偷就偷——严格地说是拿，大家拿。地里的大豆、玉米，作坊里的酒、豆腐。如果被派去盖房子，则顺点儿钉子、油毡纸什么的。需要花钱买票的所在，也就逃票。

当然，"拿"和"逃票"，也是有分别的。一般农工和他们的孩子大多会干这种事儿，而我在"文革"前，还算是农场干部的子弟，圈子里是不许干这种事儿的，平时周围的人也不怎么干这种事儿。但是一场革命，把我扔到了社会最底层，混迹于一帮农工子弟中间，耳濡目染，成天都是大家拿。

尽管如此，拿这种事儿我能不做还是不做。就算大家都拿了，我走开就是，不拿就是不拿。但是，逃票却不能免俗。当年的逃票有两种情形，一种是看电影或者节目，在场部电影院，进门需要票；还有一种情形，就是逃火车票。

"文革"期间没有什么电影，无非是"三战"和八个样板戏，但是后期则会放一点儿朝鲜、阿尔巴尼亚和罗马尼亚电影。这些电影都需要买票。当年的感觉，罗马尼亚电影最好看，但是，没票则没戏。我跟同学们一样，有着强烈的看电影欲望，但是，家里大人都停发了工资，只有一点儿可怜的生活费，根本没有看电影的开支。所以，我如果不逃票的话，只能外面待着，眼巴巴地看着别人看。

可是，不买票就能进去看电影的人还真是不少，有些是跳窗户，或者从门口混进去的，有些则是电影院看门的熟人，或者放电影的人的熟人，堂而皇之，就可以进去。正是后部分的人，给了我逃票的动力。跟着一帮浑小子，七混八混，最后多半都能混进去。

逃电影票，没有多少罪恶感。即使被人逮住，也没有什么惩罚。但是，逃火车票心理压力就比较大了。当年我在场部读书，父母被发配到一个生产连队，离场部有二十多里路。每个星期天，我都得回家。回家的路，有一半是可以坐火车的。上车站和下车站都是那种没有正经站台的小站，不买票进站出站都是可行的。尽管当时认识铁路上的人，也一样可以堂而皇之地不买票就乘车，但是，逃票还是有压力，因为毕竟火车上的乘务员不是我们农场的。所

附录

泡在历史里的我

- 289 -

以，能不坐车我就尽量不坐，二十多里路，用腿量回去。不过，实在累了，坐车一定逃票，有逃成功的时候，也有失败的时候。失败时，每每特别沮丧，但从来没有感觉自己破坏了规则。沮丧，仅仅是因为失败本身。

过去，认识一个电影院看门的人，如果他不放你进去，简直就是逆天了。即使是现在，只要听说某个熟人、同学干什么职业，人们第一念头，就是这个职业可以走后门儿了。权力越大，对规则的损害也就跟着大。现在比我逃票的时代应该好多了，但普遍的规则意识、法律意识，离我们还挺远的。在这个曾经如此高度公有制的国家，人们对于公私的分别还不那么清楚，法治的秩序，尚有待建设。

在这种情况下，当然需要全社会维护和建设法治的努力。但是，在这个过程中，最该负起责任的，其实是社会的精英。要苛责，也只能苛责他们。放过他们，单单对一个社会底层逃票的人进行苛责，实在是太不厚道了。如果把苛责作为他逃票的惩罚的话，那么，上天对他太不公平了。毕竟，那么多精英肆无忌惮地破坏规则，都安然无恙，屁事儿都没有。

## 讲道理是件挺难的事儿

从小，大人总是教育我们，要讲道理。但是，还没等我长大，就发现讲道理实在是太难了。那是"文革"初起的时候，我的班主任成分好，贫农出身。跟我们讲话，张口闭口把他的出身挂在嘴边上。一次训我，也是这样。当时那件事，错不在我，于是我脱口而出，你别以为你是贫农就可以吃老本儿！没想到他说，你敢说贫下中农吃老本儿？我说，我不是那个意思，只说你一个人。没用，此后所有人都知道我说了反动话——"贫下中农吃老本儿"。过了没多久，我父母都被揪了出来，我也被班主任（此时已经是学校革委会副主任）给开除了。这一次，我没有跟他去理论，我明白，没法跟他讲道理。

再后来，我们农场改成生产建设兵团，我们家被赶出场部，下到连队。搬家时，只给了一辆汽车，所以我们平时砍的柴火拉不走，只能等下次有机会再说。原来的房子，分给了前来接管农场的现役军人。等过了半年，我们来拉柴火的时候，发现已经被那家现役军人给用了大半。我怯生生地问了一句：你们不是不拿群众一针一线吗？人家给了一句：你们不是群众。

中学时期结束了，我被分到一个连队做农工。发现跟连长指导员是不能讲道理的，连表都是他的准，他说没到点，哪怕天都黑了，也不能下班。说你错，你就是错了，不错也错。这期间，场部的一个公安人员到我们连队去讲一个什么东西，估计是个条例。通篇讲下来，我明白了一件事，就是不管你犯没犯错，只要他想抓你，就可以抓你。不用说，这又是个没法讲道理的主儿。

上大学乘火车，我上车主动补票，但出示学生证说我可以买半票，没想到人家不认账，看都不看我的学生证，就要罚款。我说我主动来补票，而且有证件可以享受半票。没用，人家就是要罚。我突然明白了，这又碰上一个不能讲道理的人。

我们这一代，社会化完成的比任何一代人都早，社会上的牛人，早早地就告诉你一个书本上没说的道理：跟强者，没法讲道理。要讲的话，只能他有心情才能讲，没心情，道理就成了灰。

# 也说中国结

过年时，商店里大卖各种跟过年有关的吉祥物，中国结就是一种。中国结是一种吉祥图，也是吉祥的饰物，所以也称"吉祥结"。我小的时候，还真没怎么见过，但现在几乎到处都能看见。一根红色的绳子疙疙瘩瘩地扭结在一起，怎么就寓意着吉祥？说起来真是有点儿怪。中国的吉祥图谱很丰富，但多数都能说出点道理：猴子骑在马上，是"马上封侯"的意思；大枣、花生、桂圆和莲子放在一起，寓意"早生贵子"；连蝙蝠那副尊荣，能进年画，也是因为名字起得好——福嘛。但是，一团绳子，怎么解释呢？

按说，国人是不喜欢"结"的，结怨，结梁子，结疙瘩，都不是好事儿。虽然有个"结缘"缓和了一点儿，但跟"结"发生不好的联想的词儿，还是太多了。所以，过去佛门替人做法事，有一种就是解结。事先由大户人家的女眷打好很多的绳结，然后请和尚来，一边念经一边解，都解开了，意味着这家人家所有的不好的事儿，所有的冤家，都解开了。在这个过程中，也有的绳结因为实在系得太结实，和尚一时解不开，就随手扔掉的事儿。反正和尚折腾一回，这家人家也就心安了，至于实际情况怎样，谁又去管。请和尚来解，消除的就是人的心结。

中国文明很古老，早就告别结绳记事的时代了，解开绳结，就是象征着解开心结，跟人结下的怨结。这个绳结，显然不应该是一种吉祥的象征。那么，中国结或者说吉祥结到底是怎么回事呢？

我想，这玩意儿大概是从佛教来的。佛教有八宝，法轮、法螺、宝伞、华盖、莲花、宝瓶、双鱼、盘肠。其中的盘肠，其实就是我们现在流行的中国结的原型。有的人，干脆就把佛教的八宝最后一宝，径直叫作吉祥结。佛教的八宝，多数物件其实不是中国常见的。对于佛法而言，这八宝是一种象征，本意象征着佛学的"八识"，眼、耳、鼻、舌、身、意、末那，阿赖耶。八识说起来太复杂，一时半会儿说不清楚。于是，也有人通俗地说它们是佛、佛法的象征，各有各的解说，细究起来，都挺牵强。比如说，盘肠表示回贯一切，永无穷尽，象征佛法的伟大深邃。盘起来的肠子，能代表这些吗？鬼才信。所以，中国人干脆就说它是吉祥结，为什么吉祥，不管，反正就是吉祥。一目了然，大家都接受了。

所以，佛教的盘肠，就变身成为今天人们过年时的吉祥饰物，尽管多数人不明白它的来由，但人云亦云，买来挂在屋子里、车上，图个吉利。谁吃饱了撑的去刨根问底呢？就像观世音菩萨，最终由一个男人变成了漂亮的女子一样，这样，才能完成中国化。

在我看来，中国结这东西，很可能碰到了国人的文化心理深层的某些东西。在生活中不喜欢结，结怨，结疙瘩，却无时无刻不在生结，结怨。但有人群，就会不断地在生出各种事儿来。你记恨我，我记恨你；你背后说我，我背后说你；你算计我，我算计你。又都觉得自己被别人算计了。其实呢，谁也离不开谁。人与人之间，就像这扭结在一起的中国结似的，你攀住我，我拉着你，台上握手，台下踢脚，没完没了。人与人之间，没有距离，没有边界，像中国结一样，盘在一起，缠在一起。

我们常常觉得自己离传统的中国人老远了，然而静下来想一想，发现自己其实还没有离开中世纪。